La Rosa de Plata

Soledad Puértolas

LA ROSA DE PLATA

ESPASA

ESPASA ℭ NARRATIVA

Directora de la colección: Constanza Aguilera
Editora: Loida Díez

Diseño de la colección: Tasmanias
Ilustración de cubierta: *Wasserschlangen*, 1904-1907, de Gustav Klimt
(Zardoya Magnum)
Foto del autor: Christine Rennotte
Realización de cubierta: Ángel Sanz Martín

Depósito legal: M. 36.794-1999
ISBN: 84-239-7964-4

Espasa, en su deseo de mejorar sus publicaciones, agradecerá cualquier
sugerencia que los lectores hagan al departamento editorial por correo
electrónico: sugerencias@espasa.es

Impreso en España / Printed in Spain
Impresión: HUERTAS, S. A.

Editorial Espasa Calpe, S. A.
Carretera de Irún, km 12,200. 28049 Madrid

❧ ÍNDICE ❧

   I. El torneo de las doncellas desdicha-
      das   9

  II. El caballero blanco y la ninfa Alganar.   19

 III. La reina de los sueños en los pasa-
      dizos subterráneos   27

 IV. El rescate de la doncella del sueño
      infinito   39

   V. Coloquio del enano Estragón con la
      doncella que no se veía por fuera . .   47

 VI. El caballero verde y la moza de la
      posada   55

 VII. El rescate de la doncella que no se
      veía por fuera   65

VIII. Lamentaciones del rey Arturo   75

 IX. El caballero bermejo y la sirena Selma.   85

   X. La empresa del guardián Seleno . . .   95

XI.	El rescate de la doncella de la alegría perpetua	105
XII.	El caballero dorado y las damas solícitas	115
XIII.	Intervención de Nimué	125
XIV.	El rescate de la doncella más orgullosa	133
XV.	Las llamas de Tintagel	143
XVI.	La cartuja de la reina	153
XVII.	El caballero de plata y la aldea de los niños salvajes	163
XVIII.	Conversaciones en la mazmorra del castillo de Morgana	173
XIX.	El rescate de la doncella desmemoriada	183
XX.	Desaparición del caballero irisado	193
XXI.	Coloquio de Morgana con Nimué disfrazada de caballero irisado	201
XXII.	El rescate de la doncella del gran sufrimiento	209
XXIII.	Lamentaciones de Ginebra	217
XXIV.	La soledad del rey y el dolor del caballero	224
XXV.	El rescate de la doncella que hablaba con el viento	237
XXVI.	Regreso a Camelot	245
XXVII.	La rosa de plata	255

I

El torneo de las doncellas desdichadas

EL TORNEO DE LAS DONCELLAS DESDICHADAS

Concluidas las guerras contra los sajones y otros pueblos limítrofes, establecida la paz en su vasto territorio, el rey Arturo pasaba mucho tiempo entretenido con los asuntos de gobierno. Y si Merlín había sido su consejero durante las guerras, su utilidad aún resultaba mayor en tiempos de paz, de manera que se pasaban los dos muchas horas estudiando, discutiendo y divagando sobre las grandes y pequeñas cuestiones de estado.

Un día le dijo Merlín al rey:

—Ha llegado el momento, Arturo, de que nos tomemos en serio el comportamiento del hada Morgana, tu hermana. A duras penas te lo digo, pero circulan por la corte todo tipo de habladurías y rumores y ya empieza a criticarse tu tolerancia, que es interpretada como debilidad, quizá impotencia ante los poderes de Morgana.

El rey, después de escuchar las palabras del sabio, se miró las manos adornadas con grandes y brillantes anillos y permaneció unos instantes en silencio. Clavó luego los ojos en Merlín y preguntó:

—¿Y qué es lo último que se dice de ella? Dime, amigo, todo lo que sepas y no me ocultes nada. Si te voy a decir la verdad, estaba esperando que tú me hablaras de ello, porque sé que tu afecto por Morgana es aún mayor que el mío, ya que fuiste su maestro, y había declinado esta responsabilidad en ti. Pero no te demores más, y cuéntame con todo detalle los últimos rumores.

—No son simples rumores, Arturo —dijo Merlín, el sabio—, sino que yo mismo lo he visto con mis propios ojos. Cansado ya de oír tantas atrocidades de Morgana, fui, disfrazado, al castillo de La Beale Regard, donde ella vive ahora, una vez que echó de él a la legítima dueña y a todos sus guerreros y sirvientes, y me hice pasar por un mendigo joven y bien parecido, porque Morgana, como sabes, siente predilección por los jóvenes apuestos, sean éstos de la condición que sean, y así comprobé que era cierto lo que se decía de ella. Con sus malas artes, ha atraído al castillo a las doncellas más ricas y hermosas de los contornos y las tiene encerradas en las mazmorras, a pan y agua, a oscuras, envueltas en harapos y ateridas de frío. Yo mismo las vi y me llené de compasión y le supliqué luego a Morgana, aún en mi apariencia de mendigo, que las liberara, ya que todas le habían prometido que se mantendrían alejadas de Accalon de Gaula, por quien Morgana bebe los vientos, pero tu hermana, Arturo, es mujer empecinada y vengativa, y sólo porque todas ellas hablaron con él y le prestaron un poco de atención ya no quiere perdonarlas. Es partidaria de los castigos ejemplares y quiere que la suerte de estas desdichadas doncellas sirva de público escarmiento a todas las demás y que ninguna otra dama rica y hermosa ose mirar ni de lejos a su amado. Esto es lo que sé, Arturo, y creo que tu deber es liberar cuanto antes a estas desgraciadas, porque corren el riesgo de morir enfermas y desahuciadas.

El rey se cubrió el rostro con una de sus inmensas manos. Luego apartó la mano y abrió los ojos. Dijo a Merlín:

—No sé, sabio amigo, cómo puedes soportar los desmanes de quien fue tan buena alumna tuya. Pero créeme si te digo que a mí no me cuesta nada ir contra el hada Morgana, de quien desde hace años no he recibido una sola muestra de afecto, sino todo lo contrario, y a quien desde luego prefiero mantener alejada de mi reino, y si he sido reticente en presentarle batalla ha sido por el dolor que me causa ver cómo tantos hombres valerosos pierden sus vidas en tratar de vencerla, más aún conociendo sus poderes y aficiones y habiendo visto cómo en tantos casos estos nobles caballeros o son muertos o son encantados por ella y pierden por completo su voluntad, que queda en manos del hada. Dime entonces, Merlín, cuáles han sido tus conclusiones después de haber visto por ti mismo los desmanes de Morgana, porque estoy dispuesto a actuar con la mayor firmeza y haré lo que sea para liberar a las bellas y tristes doncellas que languidecen en las mazmorras de La Beale Regard.

—Falta poco para Pentecostés —dijo Merlín—, y hace tiempo que no se celebra un gran torneo, por lo que su convocatoria será recibida con entusiasmo. Anuncia el Domingo Blanco un torneo para el día correspondiente a la primera luna llena, y que los mensajeros lo pregonen por todos los rincones del reino. Los caballeros victoriosos serán los encargados de liberar a las desdichadas doncellas que Morgana tiene en prisión, porque sé que andan ahora por ahí muchos nuevos caballeros sedientos de aventuras. Siete son las damas y siete serán los caballeros, Arturo, y me parece que más de uno se quedará con las ganas de no ser vencedor, pues, por lo que he venido observando, la nueva generación de caballeros no tiene nada que envidiar a quienes hoy disfrutan con toda justicia de honores y fama, y estoy seguro de que estas justas van a ser sonadas.

—Muy bien, Merlín —aprobó el rey—, haremos como dices. Dejaremos la suerte de estas desdichadas doncellas en manos de los nuevos caballeros. Cuando lleguen a oídos del hada Morgana las noticias de las justas se sentirá, al menos, amenazada, y no creo que se atreva ahora, con todos los ojos de los habitantes del reino dirigidos hacia el triste botín que se guarda en las mazmorras de su castillo, a infligir mayores torturas a las cautivas. El Domingo Blanco empezarán los pregones, y voy a dar instrucciones muy precisas para que todo se lleve a cabo con la mayor pompa y solemnidad, a fin de que se comprenda bien el alcance de esta singular empresa.

Caía la tarde y Merlín se dispuso a regresar a su casa. Entonces dijo el rey Arturo:

—La reina está preocupada por ti, Merlín, y no sé si fiarme de sus presentimientos. Pasa mucho tiempo con sus damas y entre bordado y bordado se dejan caer muchas palabras. Se dice que cierta joven a quien has tomado como discípula se está aprovechando de ti, y que toda la docilidad y sumisión que te muestra ahora no están sino encaminadas a que vuelques en ella tu saber para luego, conseguida su meta, abandonarte e incluso matarte, Merlín. Y ya ves que no me ando por las ramas.

Merlín, que había avanzado hacia la silla del rey, ya detenido, se apoyó sobre su bastón, inclinando un poco el cuerpo hacia adelante.

—Hace algunos años —dijo lentamente—, te aconsejé, Arturo, que antes de unir tu destino al de Ginebra, te lo pensaras un poco, porque la carga que como rey tienes que soportar es tremenda y yo no tenía ningún indicio de que existiera en el mundo una criatura capaz de compartir contigo ese peso. Por el contrario, todas las señales apuntaban a lo mismo: si renunciabas a la soledad y te asegurabas amor y compañía, el dolor anidaría en tus entrañas, complicando más aún tu vida. Te lo advertí, y luego hiciste tu santa voluntad, y yo no pude decir ni hacer nada, sólo permanecer a tu lado, si es que aún te soy de utilidad.

»En lo que hace a Nimué, que así es como se llama la joven discípula que dices, tampoco hay nada que hacer,

Arturo. Ahora soy yo el que podría advertirme a mí mismo y aconsejarme, pero sé muy bien cuál es mi destino y me plegaré a él. El tuyo es la gloria y la leyenda inmortal y, porque tú lo has querido así, aunque lo pudiste evitar, también el dolor. El mío es la vergüenza y la deshonra, y tampoco lo voy a evitar.»

Merlín calló, y el rey, con el semblante ensombrecido, le dio de nuevo licencia para marcharse.

«Pobre amigo —se dijo—, lleno de poderes, dueño de tantas estratagemas y secretos, capaz de ir de aquí para allá sin que nadie lo reconozca, diestro en toda clase de disfraces, conocedor de augurios, desvelador de señales, ¿por qué sucumbe a esta debilidad de ser solicitado por esa joven que se ha convertido en su sombra y que sin embargo, según se dice, no le deja tocar la punta de uno solo de sus cabellos? Desdichado Merlín —dijo el rey en susurros—, es más digno de compasión que yo, porque, aun con la constante amenaza de la traición, siempre presente el fantasma de los celos entre nosotros, yo tengo el amor de Ginebra, ella, incluso, se afana por demostrarme su amor, por convencerme. En cambio, la joven discípula de Merlín a nadie oculta sus propósitos, y, delante de todo el mundo, trata con despego a Merlín y lo humilla cada vez que él trata de acercársele, porque el caso es que él no ceja, ésa es la verdad, cuando lo más digno, ya que necesita de la compañía de su discípula, sería mantenerse a una prudente distancia. Te compadezco de todo corazón, amigo mío, porque por el camino que vas no tardarás en convertirte en la irrisión general, y yo mismo tendré que hacer que llegues hasta esta sala del trono por un pasadizo secreto, porque estarás rodeado de descrédito y no es bueno que un rey tenga a la vista de todos un consejero así. Ojalá pudiera ayudarte y salvarte, pero si tú, que eres mucho más sabio que yo, renuncias a la lucha de antemano, es porque sabes que tu destino está en manos de fuerzas poderosísimas contra las que es perfectamente inútil rebelarse.»

Luego, el rey Arturo llamó al senescal y le dio las órdenes oportunas para la convocatoria del gran torneo que se celebraría después de la primera noche de luna nueva pasado Pentecostés, noticia que el senescal recibió lleno de contento, pues hacía tiempo que a causa de las guerras no se celebraban grandes justas.

Todo ocurrió como el sabio Merlín había previsto. Siete nuevos caballeros, jóvenes, fuertes y pletóricos de fe y entusiasmo, tomaron en sus manos la suerte de las siete desdichadas doncellas que el hada Morgana tenía cautivas en las mazmorras del castillo de La Beale Regard y se comprometieron a liberarlas y a poner sus vidas a disposición de las doncellas para que, una vez devueltas a sus castillos, ellas decidieran si querían mantener a los caballeros a su servicio o bien preferían despedirlos, después de darles las gracias de muchas maneras y de regalarles, era de imaginar, toda suerte de bienes y parabienes.

El gran torneo de las doncellas desdichadas convocó a todos los caballeros del reino y aun a caballeros de pueblos y reinos amigos, y durante mucho tiempo se habló del esplendor de las tiendas que se montaron con ocasión de las justas, de los ricos atavíos de las damas, de la opulencia y suntuosidad, y también suculencia, de los banquetes, y, sobre todo, del inigualable valor de los caballeros que en ellas se encontraron y midieron, de todo lo cual el rey Arturo y la reina Ginebra y todos los nobles caballeros de la Tabla Redonda disfrutaron cumplidamente.

Y la reina Ginebra más que nadie, porque en los torneos, justas y otros nobles divertimentos tenía ocasión de ver a Lanzarote del Lago, a quien amaba desde el mismo día en que puso los ojos en él, y él a ella, de modo y manera que en este gran torneo de las doncellas desdichadas las miradas que se cruzaron Lanzarote del Lago y la reina Ginebra abrasaron el aire.

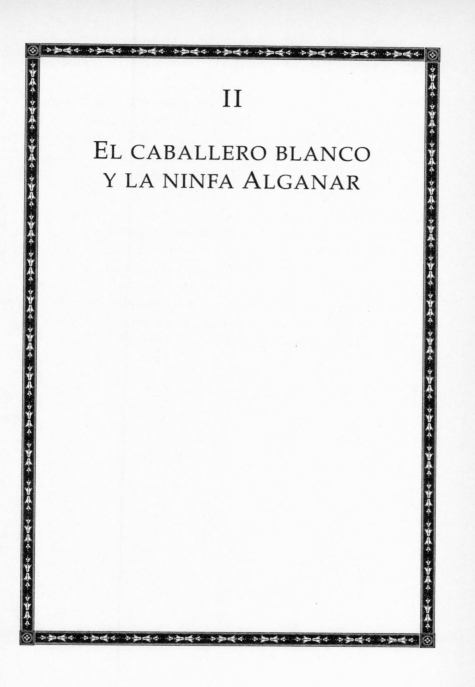

II

EL CABALLERO BLANCO
Y LA NINFA ALGANAR

EL CABALLERO BLANCO Y LA NINFA ALGANAR

El caballero blanco, que había salido vencedor del combate llevando el pabellón de la doncella del sueño infinito, estaba ahora en medio del campo, y, embargado aún por la emoción de la victoria, se sintió de repente solo, cansado y desorientado. Había puesto todo su empeño en ganar, en conquistar la atención del noble rey Arturo y de los otros grandes caballeros de la Tabla Redonda, en especial, las de Lanzarote del Lago, Galván de Orkney y Tristán de Lionís, a quienes tenía por los mejores caballeros del reino. Ciertamente, tanto el rey como los admirados caballeros le habían felicitado, y el caballero blanco había comido de sus platos y bebido de sus copas, había sido tratado de igual a igual, y eso aún le llenaba de orgullo. Pero sólo tenía dieciséis años, y con el agotamiento le vino el desánimo y el miedo.

«Apenas he dormido —se dijo el caballero blanco—, porque la farra ha durado hasta el amanecer, y me parece que lo más sensato sería emprender esta aventura después de haber recuperado las fuerzas.»

De manera que se bajó del caballo, se despojó de la armadura y se cobijó a la sombra de un frondoso roble, quedándose inmediatamente dormido.

Pero quiso la casualidad que en este bosque en el que el caballero blanco se quedó dormido hubiera un lago de aguas milagrosas, cuyos secretos conocía muy bien la ninfa Alganar, que vivía en un gruta a las orillas del lago. Aunque Alganar se pasaba la mayor parte del día nadando en el lago, daba de vez en cuando paseos por el bosque, y así vio al bello caballero blanco dormido bajo el roble, casi desnudo, y su corazón se conmovió.

«Sin duda, este caballero es uno de los siete vencedores en el torneo de las doncellas desdichadas —se dijo Alganar—, y en cuanto despierte del sueño se irá en busca de su aventura. Hace tiempo que no veo un caballero tan apuesto y de gesto tan dulce, que incluso estando dormido ya me ha causado una profunda impresión, y sería lamentable que se fuese de estos parajes sin que yo le haya enseñado los milagrosos poderes de las aguas del lago, por lo que debo inventar algún ingenio para retenerle.»

De momento, Alganar se sentó junto al caballero blanco y lo miró detenidamente, sintiéndose cada vez más interesada por él. Lo miraba, pensaba, y sonreía.

Al fin, el caballero blanco abrió los ojos y cuando vio a Alganar inclinada sobre su rostro creyó que aún seguía dormido y que la ninfa era parte del sueño, actuó sin ninguna precaución.

—¿Quién eres, mujer maravillosa? —preguntó con toda inocencia, olvidando que las ninfas jamás dicen la verdad.

—Soy Alganar —dijo la ninfa—, y estoy presa de un encantamiento, por lo que creo que Dios y Todos los Santos que habitan en el cielo te han puesto en mi camino, pues llevo muchos años a la espera de un caballero blanco, quien tiene en su mano el poder de romper mi encantamiento.

—Alganar —dijo el caballero blanco—, juro por Dios que te liberaré, si es que esta aventura me deja luego seguir mi camino, porque la doncella del sueño infinito, que está ahora prisionera en las mazmorras del castillo de Morgana, me está esperando y yo soy el caballero destinado a salvarla.

—No te preocupes, caballero blanco —dijo la ninfa—, mi aventura no te retendrá mucho tiempo y a cambio contarás con mi ayuda para liberar a la doncella que te aguarda, lo cual te será de más utilidad de lo que imaginas.

—Te ayudaré —dijo el caballero blanco—, pero no es necesario que me ofrezcas nada a cambio, Alganar. Dime en qué consiste esta aventura y lo haré con la máxima rapidez y el mayor celo, porque me duelen como en carne propia los encantamientos y penalidades de las damas.

—Es preciso que antes de todo te des un baño en el lago —dijo Alganar, poniéndose en pie—. Dame tu mano y te conduciré hasta allí.

En cuanto el caballero blanco tuvo en la suya la mano de Alganar, se quedó vacío de pensamientos y recuerdos, tal era el poder de la ninfa, y se empezó a reír de pura felicidad y luego cantó y bailó hasta llegar a las orillas del lago.

—En toda mi vida he visto unas aguas tan azules y luminosas —dijo el caballero blanco, y, después de despojarse de la escasa ropa que aún le cubría el cuerpo, dio un brinco y se zambulló de cabeza en el lago.

Alganar, que también se desvistió, esperó a que el caballero blanco volviera a aparecer entre las aguas y luego se sumergió despacio y nadó hasta él.

—¡Qué cálidas y acogedoras son estas aguas! —dijo el caballero blanco—. Yo creo que son de ésas que llaman milagrosas o medicinales, porque tienen no sé qué propiedades curativas y aquel que se sumerge en ellas se siente como nuevo.

—Así es —dijo Alganar, empujando al caballero blanco hacia el fondo, como jugando con él—. Sígueme, que te quiero enseñar una cosa —dijo, adentrándose bajo las aguas.

—Lo que verdaderamente me maravilla —dijo el caballero blanco— es que podamos hablar y respirar dentro del agua, por lo que creo que todo esto no está sucediendo de verdad, sino dentro de un sueño. No sé bien quién eres, Alganar, pero, cierta o falsa, verdadera o soñada, eres tan bella y seductora que no creo que hubiera en el mundo caballero capaz de resistirse a tus encantos.

Así diciendo, llegaron los dos a un castillo y entraron en él. Luego, Alganar condujo al caballero blanco a una amplia y hermosa habitación, donde le ofreció un lecho preparado con todo cuidado y detalle para el descanso. El caballero blanco se tendió en él y prontamente se quedó dormido. Entre tanto, Alganar dio orden de cerrar todas las ventanas y puertas del castillo para que el caballero blanco no pudiera abandonarlo jamás.

III

La reina de los sueños en los pasadizos subterráneos

La reina de los sueños en los pasadizos subterráneos

Cuando la joven a quien todos conocían como la doncella del sueño infinito, y que se llamaba Naromí, supo que el caballero blanco había quedado vencedor en las justas llevando en el escudo los colores de su pabellón y que desde ese momento quedaba comprometido a obtener su liberación, salió del sueño y fue respondiendo a las frases de enhorabuena y felicitación de sus compañeras.

Al principio estaba un poco aturdida, y no acababa de comprender a qué se debía esa algarabía, y sólo cuando las otras doncellas le dijeron de mil maneras lo que había sucedido, empezó a atisbar el final del cautiverio. Naromí, como se pasaba el día dormida, no se había enterado de nada, de manera que hicieron falta muchas explicaciones, y, sobre todo, mucho orden, hasta que la doncella tuvo conciencia de su suerte.

—De todas nosotras —dijo la orgullosa Delia, cuya

belleza era de una perfección tal que producía un poco de miedo—, eres la más joven, Naromí, y quizá por eso se hayan celebrado tus justas al principio de todo. Según se dice, tu caballero blanco es también jovencísimo y todos se hacen lenguas, especialmente, de la dulzura que emana de sus ojos. Yo no quisiera otra cosa para mí que tener a mi lado a un caballero tierno, de manera que ya te digo desde ahora que, si después de tu liberación y rescate decides devolverle la libertad, me lo hagas saber con la mayor rapidez, porque he visto en sueños al caballero blanco y se acomoda perfectamente a mis deseos.

—Afortunada Naromí —dijo entonces, con lágrimas en los ojos, la doliente Bellador—, yo sólo te quiero pedir que cuando el caballero blanco te libere, vayas, antes de regresar a tu castillo, a Camelot, y veas cómo se están celebrando las otras justas y te asegures, sobre todo, de que la mía ya se ha acordado, porque mucho me temo que se hayan olvidado de mí, como tantas veces me ha ocurrido y os he contado, pues me ha cabido la desgracia de ser una más de innumerables hermanas, y todavía creo que Morgana me confundió con alguna de ellas al traerme a sus prisiones, porque yo no he puesto los ojos en caballero alguno, ni mucho menos en su amado Accalon de Gaula.

—No os preocupéis —dijo la joven Naromí—, que, como el caballero blanco me devuelva la libertad, no me olvidaré de vosotras y cumpliré vuestros encargos.

De manera que las doncellas se pusieron a fantasear y a pedir, y la tristeza que hasta el momento había reinado en las mazmorras del castillo se fue evaporando y transformando en una suave corriente de alegría que ascendió hasta las habitaciones del hada Morgana.

«Ya veremos —decía Morgana para sí, mientras iba y venía por el laboratorio, mezclando líquidos y revolviendo cuencos— quién ríe la última. No conocéis mis poderes ni sospecháis el alcance de mi sabiduría. Ya pueden lanzarse a vuestra búsqueda los siete nuevos caballeros, ya pueden presentarse ante mi castillo uno a uno o todos a la vez, que tengo ingenio de sobra para vencerlos y eliminarlos. Mala idea has tenido, querido hermano, en hacer que la suerte de estas doncellas que tengo cautivas recaiga sobre tan inexpertos caballeros, o mal te han aconsejado, porque sospecho que ha sido ese desnortado de Merlín quien te inspiró la idea. Si dejaras también la defensa de tu reino en las manos de los caballeros más jóvenes, en dos días no quedaría nada de él, así que bien podrías interpretar mis maquinaciones como una advertencia ¿Qué sabes tú de jóvenes, Arturo? Tu corazón maduró demasiado pronto...»

Morgana empezó a canturrear, porque los retos la estimulaban y llenaban de energías. Lo de menos, en aquel momento, eran los caballeros a quienes tenía que vencer, lo importante era pensar y planear, hacer pruebas, rememorar recuerdos, pócimas, encantamientos.

Transcurridas las horas, la sonrisa seguía paseándose por los labios del hada Morgana, quien al fin se permitió un descanso. Se sentó frente a la ventana y cerró los ojos.

Entonces se extendió por el reino la noticia de la desaparición del caballero blanco. En el bosque, al pie de un frondoso roble, se había encontrado el caballo y el arnés y la bandera con los colores del pabellón de la doncella del sueño infinito. ¿Dónde estaba el caballero? Algunos mencionaron a Alganar, la ninfa del lago de las aguas cálidas y misteriosas, pero muy pocos conocían a Alganar y la mayoría creía que sólo era una leyenda. Buscaron a Merlín, pero no lo encontraron, pues se había retirado a una guarida secreta para instruir a Nimué en sus artes prodigiosas.

La alegría de las doncellas cautivas se evaporó y todas lloraron amargamente, menos Naromí, que se quedó dormida de forma instantánea, según la virtud que el hada Iris le había conferido nada más nacer y que otorgaba a Naromí el poder de dormir de forma infinita y, mientras dormía, el tiempo no transcurría para ella, de manera que Naromí cumplía los años muy despacio y nunca estaba verdaderamente triste porque a la menor contrariedad se refugiaba en el sueño.

Pero, antes de caer dormida, dijo Naromí:

—Hada Iris, tú que me diste el preciado don del sueño inacabable, no me abandones ahora, porque no es lo mismo dormir en una mazmorra que en las habitaciones de mi castillo. Deja por favor que el caballero blanco me rescate o, al menos, que no muera por mi causa, porque mucho me temo que el hada Morgana, que tantas malas artes conoce, lo haya hecho desaparecer. Libéralo, hada Iris, que él sólo se merece recompensas por su valor y mi sueño será intranquilo mientras no tengamos noticias suyas. No quisiera arrastrarlo en mi desgracia, hada bondadosa, no quisiera que esos ojos que dicen son tan dulces se cierren para siempre por mi culpa. Sálvalo, y, si quieres, disuádele de cumplir su compromiso conmigo, porque yo tengo el recurso del sueño y quizás pueda pasarme los años dormida hasta la muerte de Morgana o hasta que algún otro caballero nos libere a todas.

El hada Iris, conmovida por las palabras de Naromí, se puso a pensar de qué manera podría liberar al caballero blanco del encantamiento en que lo tenía la ninfa del lago, obedeciendo a la voluntad de Morgana. Y, tras algunos días de reflexión, porque el hada Iris pensaba muy despacio, recordó que todos los castillos que había en el fondo de los lagos estaban comunicados por túneles y pasadizos. Acudió entonces a su amiga Indiga, que le debía un favor, y le pidió que le dejara transitar por sus pasadizos, ya que Indiga estaba al cuidado de los pasos subterráneos que iban y venían del fondo de los lagos.

Indiga no era persona de conceder muchos favores. La vida bajo tierra le había ido enmoheciendo, amargando. Es verdad que hay mucha vida bajo las aguas, un trasiego enorme, y crecen allí, en humedales y fosos, multitud de criaturas, algunas de ellas ciertamente pintorescas, pero Indiga, que amaba el sol y la luz sobre todas las cosas, nunca hubiera imaginado que su destino iba a ser aquel y finalmente había sucumbido al desánimo. Dijo, malhumorada, a Iris:

—No sé qué se te ha perdido a ti en este asunto. Tú ya cumpliste tu parte, Iris, y bastante privilegio es para Naromí poder dormir hasta hartarse, muchas personas darían todo lo que tienen por dormir, aunque sólo fuera durante las noches. Y si el caballero blanco también está dormido, pues todos felices. Tú velas sus sueños, Iris, ése es tu dominio, y ya sabes lo peligroso que es salirse de los propios dominios. Te aseguro que los míos están llenos de obstáculos y dificultades, en los pasadizos te resbalas por menos de nada, porque no ves lo que pisas, Iris, aunque vayas colmada de velas. Ya sabes la extraña luz que arrojan las velas en un túnel. Aparecen sombras gigantes, deformadas, que te encogen el corazón, y se mueven, se escurren, tienen vida propia esas sombras. Y lo malo es que ahora ni siquiera puedo proveerte de unos guías que te conduzcan por estos pasos tan peligrosos, porque se han ido todos de viaje a la boda de uno de ellos, y estoy sola. Son tercos y alborotadores todos ellos, pero al menos se conocen los pasadizos al dedillo. No vayas, Iris, deja las cosas como están, que no están tan mal, y no arriesgues en vano tu propia vida.

—Si te hiciera caso —repuso Iris—, si dejara de acudir en ayuda de Naromí y no hiciera nada por liberarla de las prisiones de Morgana, ya no podría dormir tranquila, yo, la reina del sueño, fíjate qué incongruencia. En los últimos tiempos, habida cuenta de las guerras y de las epidemias que nos asolan sin piedad, he perdido a muchos de mis protegidos y ahijados y había ido poniendo toda mi ilusión en Naromí, y hasta se me ha pasado por la cabeza la idea de debilitarle un poco el don que le otorgué en la cuna, porque creo que ha abusado de él, y así no ha resultado tan bueno como parecía, porque, al estar tanto tiempo dormida, Naromí es en muchos sentidos una niña y no ha alcanzado la plenitud. Te confieso, Indiga, que sólo esta meta me tiene ahora en pie, porque estoy muy desanimada, y aunque me asusta adentrarme por esos túneles resbaladizos y, más aún, sin guía alguna, todavía me reconcome más quedarme cruzada de brazos, de forma, Indiga, que, te lo pido por favor, condúceme cuanto antes a la puerta de tus laberintos.

Indiga, en su fuero interno, se asombró de que la reina de los sueños fuera tan infeliz. Los sueños vagaban por el aire, los sueños flotaban, el universo de Iris era etéreo, ¿de qué podía quejarse? Mucho peor era su vida, precisamente todo lo contrario a la de Iris, ella estaba condenada a habitar en el mundo viscoso y subterráneo que se extendía bajo los lagos, no podía quedarse en la superficie disfrutando de la frescura del aire por mucho tiempo, porque las intrigas que tenía que dominar allí abajo eran constantes, así que no podía entender del todo la pesadumbre de Iris.

«Bueno —se dijo—, si Iris quiere sufrir, es asunto suyo. Le abriré la puerta.»

De manera que Indiga condujo al fin a Iris a la puerta de los pasadizos y entraron en una gran cueva llena de ecos y resonancias. En el último momento, Indiga se compadeció de Iris y le dio un talismán, una piedra amarilla que le colgó del cuello.

—Por nada del mundo le des a nadie esta piedra —le dijo a Iris—; si la conservas es probable que encuentres la puerta del castillo donde está encerrado el caballero blanco. Pero que no quede oculta entre tu ropaje —le aconsejó— Por el contrario, la piedra debe ser bien visible para todos, porque todos la desearán y es así, por medio del deseo que suscita esta piedra, como llegarás a tu destino.

Indiga se despidió entonces de Iris, que, con sumo cuidado, fue adentrándose por uno de los múltiples pasadizos que se abrían en la húmeda cueva.

Duendes, brujas y otros seres encantados salían constantemente a su paso y le pedían que les diera la piedra amarilla que colgaba de su cuello a cambio, decían, de guiarla hacia el castillo donde estaba encerrado el caballero blanco. Pero Iris, siguiendo el consejo de Indiga, se negaba a realizar el trato. Así anduvo un buen rato desorientada y temerosa, hasta que se le ocurrió decir al duende que en ese momento le pedía la piedra que se la daría en cuanto llegaran al castillo y, asombrosamente, el duende accedió y en seguida la condujo al castillo de la ninfa Alganar y llegaron hasta la cámara donde dormía el caballero blanco. Allí Iris se desprendió de la piedra y despertó al caballero blanco y le contó por qué había venido a liberarlo.

Después de llorar de culpa y emoción, el caballero blanco pidió al duende, que ya se había colgado la piedra amarilla del cuello, que los ayudara a salir del castillo de Alganar, y le prometió muchas piedras amarillas como ésa, que en su reino, dijo, eran abundantes y se encontraban por doquier.

El duende, cuyo nombre era Tarán, llevó entonces al caballero blanco y al hada Iris hasta un lago cercano al castillo de Morgana, y volvió luego a sus dominios,

no sin antes recordar al caballero su promesa y asegu-
rarle que, en cuanto la doncella del sueño infinito fuera
liberada, volvería ante el caballero blanco para que le
diera las prometidas piedras amarillas.

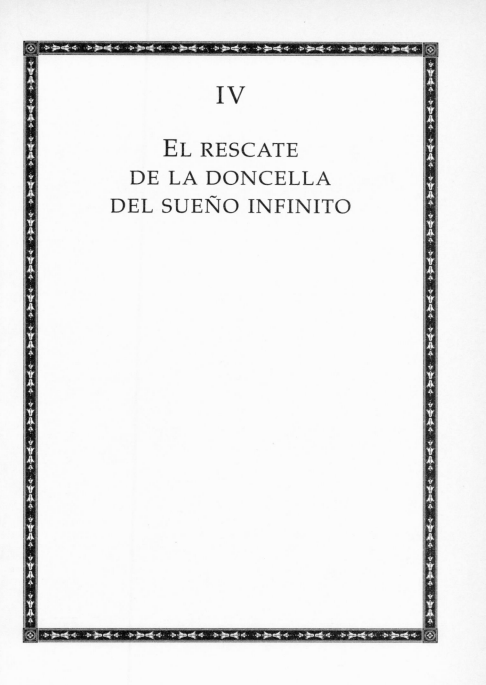

IV

EL RESCATE
DE LA DONCELLA
DEL SUEÑO INFINITO

EL RESCATE
DE LA DONCELLA
DEL SUEÑO INFINITO

En seguida corrió la voz de que el caballero blanco había logrado escapar de las redes de la ninfa Alganar y que ya se encontraba a las puertas del mismo castillo de La Beale Regard, por lo que Morgana se asomó a la ventana mientras maquinaba la forma de tenderle una trampa y vencerle.

El hada Iris, entre tanto, se había hecho casi transparente, y dormitaba bajo la copa de un nogal, a la espera de volver a ejercer sus poderes porque, una vez liberada Naromí, tenía el propósito de debilitar su capacidad de sueño infinito.

Lloviznaba ligeramente, y Morgana, que tenía vista de lince, contempló la figura bien proporcionada del caballero blanco y admiró su apostura. El caballero, en ese preciso momento, se disponía a descolgar el cuerno de los avisos para pedir que le abrieran las puertas del castillo. La voz de Morgana detuvo su brazo en el aire.

—¡Caballero blanco! —gritó Morgana—. Deja el cuerno en paz y no metas barullo, que ya sé quién eres y a lo que has venido, y es mejor que te procures una entrada discreta en el castillo.

El caballero blanco miró a Morgana, que era una mujer muy hermosa, además de tener el dominio de muchas ciencias.

—¿Quién eres tú, bella señora, y por qué me hablas así? —preguntó—. Yo busco una contienda limpia y no tengo por qué entrar de tapadillo en esta fortaleza en la cual mi dama está presa.

—Me parece que eres un joven muy inexperto y no conoces las habilidades de Morgana. A ella eso de las peleas limpias le traen al fresco, así que no hagas más tonterías y espera que baje a abrirte una puerta secreta por la que vayas lo más rápido que puedas a reunirte con tu dama.

Así, bajó Morgana, vestida de criada, a abrir la puerta al caballero, y empezaron a recorrer juntos las salas del castillo. De repente, el caballero blanco se detuvo.

—¡Desgraciado de mí! —exclamó—. He estado a punto de caer en otra trampa. Tú eres el hada Morgana, no me puedes engañar, porque no puede ser que te hayas cambiado de ropa tan deprisa. Arriba en la ventana, te vi con toda claridad, ya que el sol hoy no ciega los ojos, e ibas ataviada como la dueña del castillo. Ponme todas las pruebas que quieras, que yo las superaré, pero no voy a consentir que me encierres como me encerró Alganar, la ninfa del lago. Llama a tu gente y preséntame a todo el mundo, diles que el caballero blanco ha venido en busca de su dama.

—Para lo joven que eres —sonrió Morgana— demuestras mucho valor, y merecerá la pena ponerlo a prueba. Vayamos a la Sala de los Grandes Acontecimientos, donde anunciaré tu llegada.

Efectivamente, Morgana hizo llamar a sus consejeros y ayudantes y les presentó al caballero blanco, y todos se deshicieron en consejos y sugerencias, y discutieron sobre cuáles serían las pruebas más oportunas que debía superar el caballero. Al fin, habló Morgana:

—Puesto que tu encomienda es liberar a la doncella del sueño infinito, lo más apropiado es que la batalla la realices en sueños, tú dormido, quiero decir. Has de vencer al primer guardián de las mazmorras, un hombre de fuerza descomunal, pero que tiene un punto flaco, que no te voy a decir para que el encuentro sea más emocionante. Si no aceptas, eres hombre muerto, caballero.

—He venido a luchar —dijo gravemente el caballero blanco.

—Muy bien —dijo Morgana—. Después de cenar, tomarás un bebedizo que yo misma prepararé y que te hará caer en un sueño profundo, y es así como lucharás, dormido, pero en ningún momento dejarás de ser tú, aunque no aciertes a ver a tu contrincante que, él sí, estará completamente despierto.

Así se organizaron las cosas, y, a medianoche, un rato después de la cena, el caballero blanco fue vestido y armado, y los pajes que se ocuparon de hacerlo comprobaron que estaba bien dormido y que no abría los ojos, como si los párpados fueran de plomo.

La batalla comenzó con clara desventaja para el caballero blanco. A pesar de su fuerza y su valor, su contrincante lo dominaba y lo traía y llevaba por donde quería. En seguida estuvo a punto de matarlo, pero Iris, reina de los sueños, hizo que la escena entrara en el sueño del caballero blanco y, sin necesidad de abrir los ojos, el caballero blanco vio a su contrincante encima de él y reaccionó a tiempo y de un golpe terrible en su punto flaco acabó con su vida.

«Gracias a Dios que no se trata de Accalon —se dijo Morgana—. He hecho bien al enviarlo a la corte de Arturo con inútiles recados y ni siquiera ha tenido tiempo de enterarse de esta justa. Por lo demás, ¿qué me importa a mí la doncella del sueño infinito? Que se la lleve este caballero cuanto antes y que se borren de esta sala las huellas de este duelo, del que tan pocos hemos sido testigos.»

El caballero blanco fue conducido luego sigilosamente a una recámara, donde en seguida vino a reunirse con él la doncella del sueño infinito. Un enano los guió por un estrecho y tenebroso pasillo y los sacó del castillo por una puerta trasera.

—Más os vale —les dijo el enano al despedirles— no contar a nadie esta hazaña, porque Morgana la negará y os la hará pagar cara. Pero si sois discretos puede que aún viváis algunos años.

El caballero blanco y la doncella del sueño infinito se miraron, se parecieron bien, y acordaron alejarse del castillo cuanto antes. Iris los seguía a cierta distancia, dispuesta a llevar a cabo su plan de debilitar la capacidad de sueño de la doncella. Y, según se supo mucho más tarde, sus planes se cumplieron.

V

COLOQUIO DEL ENANO ESTRAGÓN CON LA DONCELLA QUE NO SE VEÍA POR FUERA

❦ Coloquio del enano Estragón con la doncella que no se veía por fuera ❧

Cuando el enano Estragón bajó a las mazmorras del castillo a liberar a la doncella del sueño infinito, se produjo entre las cautivas una gran algarabía. Sobre todas ellas, se lamentaba Bellador, la doncella del gran sufrimiento, cuyos gritos habrían podido estremecer el corazón más duro. No era de esta clase el corazón del enano Estragón, y así, no pudo evitar mirar a la pobre y desconsolada doncella y, una vez que el caballero blanco y Naromí, la doncella del sueño infinito, abandonaron el castillo, Estragón bajó de nuevo a las cárceles con el objeto de hablar un poco más con Bellador y le prometió que, en cuanto tuviera nuevas de la celebración de la justa que le correspondía, iría en seguida a comunicárselo.

—Hazlo así, Estragón —repuso Bellador, agradecida—, cuéntame todo lo relativo a mi justa, y te prometo que como las cosas salgan bien te llevaré conmigo a palacio, donde disfrutarás de una vida mucho mejor que la que llevas aquí, porque por tus ropas y la falta de adornos y joyas que en ellas veo, deduzco que el trato que te dan no es de privilegio ni de honores.

—Así es —dijo Estragón, ya conquistado—, pero los enanos, por desgracia, no podemos aspirar a mucho, y a todas horas se nos dice, y nos lo llegamos a creer, que bastante es con que disfrutemos de techo y comida, y que el mayor honor que nos cabe es el de tener la confianza de la dueña del castillo, en este caso, Morgana. Pero no me tienes que prometer nada, que yo tendré mucho gusto en informarte de todos los detalles de la justa que te concierne. La cual, por cierto, no es la que se va a celebrar mañana, en la que se decidirá qué caballero tomará sobre sí la causa de la doncella que no puede verse por fuera.

Ante estas palabras, la doncella del gran sufrimiento redobló sus lamentaciones y se alejó a un rincón de la mazmorra para llorar a solas, y las otras doncellas que rodeaban al enano Estragón llamaron a la doncella que no podía verse por fuera, que se llamaba Alicantina.

—Este enano Estragón acaba de decirnos que mañana va a celebrarse la justa en la que se escogerá a tu caballero y parece que hay un caballero todo vestido de verde que está empeñado en ganarla —dijo la orgullosa Delia.

Alicantina se acercó a Estragón y le preguntó si eso era verdad y si se sabía quién era el caballero todo vestido de verde que quería tomar su suerte sobre los hombros, pero Estragón no lo sabía y, a lo que creía, no lo sabía nadie en la corte de Morgana.

—Es asombroso —dijo Alicantina—, porque tengo que pensar que si un caballero se ha propuesto luchar por mí y liberarme es porque me conoce o ha oído hablar de mí y verdaderamente no entiendo cómo eso ha podido suceder, puesto que no puedo darme cuenta de cómo soy por fuera y creo que nadie me ve y por tanto nadie puede hablar de mí.

—Pues mira —dijo Estragón—, el que estés ahora en esta prisión es prueba suficiente de que te han visto, porque si no se te pudiera ver no te habría visto Accalon de Gaula, que ésa ha sido la causa de que te hayan encerrado aquí.

—He meditado mucho sobre eso —dijo Alicantina—, y créeme que no acabo de comprenderlo, y eso aún me hace sufrir más, porque la prisión me horroriza, pero el no entender por qué razón me han encerrado en ella me vuelve loca. Ni he visto nunca a Accalon de Gaula, el amante del hada Morgana, ni he sabido hasta ahora de su existencia. No puedo comprender que yo haya suscitado los celos de Morgana ni de ninguna otra mujer, porque además tengo la sensación, por no decir la certeza, de que no sé mirar a los hombres de esa manera en que quedan seducidos de inmediato.

Estragón se sonrió un poco y miró hacia el rincón donde lloraba Bellador, la doncella del gran sufrimiento.

—No todo el mundo conoce sus poderes y habilidades, aun cuando los ejerza —dijo luego Estragón—. Por algo te llaman la doncella que no puede verse por fuera. Pero yo estoy seguro de que puedes ser tan seductora

como la que más, aun sin proponértelo y sin tener
conciencia de ello. Y no sé, en el fondo, si esta cualidad
tuya es defecto o virtud, porque hay personas que son
tan conscientes de su apariencia exterior que ya no prestan
ninguna atención al interior, que es lo que nos sostiene
y nos hace. A mí, por ejemplo, me habría venido muy
bien no tener tanta conciencia de mi estatura y malfor-
mación, pues he sufrido mucho por ello. Me he tenido
que endurecer y ser más bufón que poeta y los cometi-
dos que me encargan tienen que ver más con pasos
secretos que con salones de baile. No sé qué pretendió
exactamente quien te dio esta cualidad, pero a mí me
habría gustado tenerla.

—Es la primera vez —dijo Alicantina— que alguien
me pregunta por el origen de este don, de manera que
te lo voy a contar. Antes de nada, te diré que para mí no
significa un don, y que el no poder verme por fuera y
no saber nunca la impresión que causo en los otros me
ha ido creando una confusión y una zozobra tremen-
das. Hablo y discuto conmigo misma y vivo encerrada
en mis propios límites. Esa es mi verdadera prisión,
más aún que esta mazmorra. Y ahora paso a relatarte la
historia:

»La Reina Safir, mi madre, era de una belleza deslumbrante. Sin duda, habrás oído hablar de ella, pues
su fama corrió por todos los reinos y no hubo rey ni caballero andante que no se propusieran conquistarla o, al
menos, ponerse a su servicio. Pero mi madre, para su
desgracia, se enamoró de su preceptor, un joven sabio
que la instruyó en todas las artes del gobierno y en las

artes del deleite y del conocimiento, de forma tal que mi madre, aún con escasa edad, había desarrollado su inteligencia y sensibilidad hasta límites insospechados, y los que se asombraban de su belleza no podían por menos que caer luego rendidos al vislumbrar qué clase de mente y qué delicadeza de corazón guardaba ese exterior tan resplandeciente. Al fin, pudo imponer su voluntad, pero a costa de muchas fatigas y batallas. Se desposó con mi padre, con la oposición de todos los consejeros del reino, que querían un matrimonio más ventajoso y que habían hecho por su cuenta algunas promesas y gestiones. Hubo entonces guerras que según los consejeros se habrían evitado de haberse casado mi madre con el pretendiente que ellos habían escogido, y mi padre, estando mi madre encinta de mí, se vio obligado a ir al campo de batalla para poner a prueba su valor, ya que todos lo acusaban de debilidad y cobardía, incluso algunos se atrevían a murmurar, aun en presencia de la reina, que él era la causa de las guerras. Mi padre, que no era un experto luchador, lo que ni mucho menos significa que fuera cobarde, luchó con valentía en primera línea, y fue abatido y muerto. El dolor de mi madre fue indescriptible y, encinta como estaba, acudió al mago Merlín y le pidió que si su hija nacía tan hermosa como ella, porque ya estaba segura de que llevaba una niña en su seno, no fuera, al menos, consciente de la impresión que causaba en los demás y pudiera así ser mucho más libre de lo que ella había sido, porque mi madre creía que la belleza era la causa de toda su desgracia, ya que tantos reyes y caballeros andantes le habían declarado su amor y habían hecho concebir en el pecho de sus consejeros esperanzas de alianzas utilísimas que quizá luego, al no verse cumplidas, habían desencadenado las guerras.

»Según ella misma me confió, mi madre no se atrevió a pedir a Merlín que yo fuera una criatura completamente exenta de belleza, una criatura fea o deforme, porque eso la asustaba, de manera que optó por pedirle que simplemente yo no fuera capaz de verme por fuera. Y esta es, más o menos, la historia de mi don, querido amigo.»

—Muy interesante y lleno de sustancia ha sido tu relato —dijo Estragón—, aunque bastante triste. En todo caso, Alicantina, mañana el caballero verde luchará por ti y si sale vencedor yo mismo le preguntaré por qué te ha escogido, si porque te ha visto en alguna ocasión o porque alguien le ha hablado de ti, porque ya tengo esa curiosidad, y aunque yo ya sé cómo te veo, y me pareces hermosísima, me gustaría saber cómo te ven los demás.

Y después de hablar un poco más con las doncellas y de enviar una mirada cargada de amor hacia el rincón donde aún lloraba Bellador, la doncella del gran sufrimiento, Estragón dejó las mazmorras.

VI

EL CABALLERO VERDE Y LA MOZA DE LA POSADA

❦ EL CABALLERO VERDE Y LA MOZA DE LA POSADA ❧

El caballero verde también era conocido como el caballero de las cinco espadas, porque era muy hábil en el manejo de las armas y frecuentemente hacía demostraciones en las que recogía a toda velocidad y sin causarse ninguna herida en las manos las cinco espadas que lanzaba al aire. Este caballero era muy alegre y expansivo y estaba acostumbrado a ser el alma de todas las reuniones sociales, el centro de todas las fiestas.

Cuando se enteró del torneo que iba a tener lugar en Camelot para liberar a las doncellas que el hada Morgana, a causa de los celos, tenía presas en el castillo de La Beale Regard, se informó bien de la identidad de las doncellas y se quedó un buen rato considerando a cuál de ellas sería más oportuno y placentero rescatar.

Naromí, la doncella del sueño infinito, no le atraía en absoluto. Las bellas durmientes, por bellas que fueran, le aburrían. Él, que era tan partidario de galas y festejos, consideraba que dormir era una pérdida de tiempo, algo reservado a quienes no saben sacar partido a la vida. Bellador, la doncella del gran sufrimiento, aún le atraía menos, ¿por qué fijarse en las penalidades de la vida habiendo tantas cosas buenas? En realidad, no soportaba a los doloridos, ni siquiera a los melancólicos, ni mucho menos a los tristes. En Bellador sólo pensó una décima de segundo y fue descartada en seguida. En la orgullosa Delia pensó un poco más, porque era bella y perfecta, pero excesivamente segura de sí misma, carente por completo de sentido del humor, se dijo luego, dominante, eso era seguro, insoportable, concluyó después. Desde luego, estaba Bess, que parecía la candidata más apropiada, Bess era alegre, componía romances, cantaba como los pájaros, y su andar era tan ligero como su risa.

Pero después de un rato, el caballero verde se dijo: «Dos personas tan parecidas no deben juntarse, no es tan placentero verse siempre reflejado con exactitud en espejos ajenos. Y bien podríamos, además, entrar en competencia y luego acabar uno dolido con el otro».

Descartada Bess, aún quedaban Findia, Alisa y Alicantina, claro que estas doncellas no eran ninguna ganga, pues aunque todas eran muy bellas, tenían unas cualidades muy extrañas y había que sopesar bien los inconvenientes que representaban.

Findia era olvidadiza y a veces no recordaba ni su propio nombre, ¿cómo se puede confiar en una criatura desmemoriada? El caballero verde frunció el ceño y negó con la cabeza. Lo que se decía de Alisa era también muy desconcertante: hablaba con el viento. ¿No sería ésta una manera de decir que estaba loca? Bueno sería luchar por una pobre loca, rescatarla, y quedar luego obligado a su servicio. Nada de Alisa. Así que sólo quedaba Alicantina, la doncella que no podía verse por fuera. Estudiemos esta cualidad, se dijo el caballero verde, pero por mucho que pensó y le dio vueltas al asunto, no acabó de entenderlo.

Al cabo, concluyó: «Lo que no se entiende, siempre puede dar sorpresas, y no hay sorpresa que no tenga su parte buena. Esta es la doncella que más se aviene a mi temperamento arriesgado y emprendedor y me parece que esta aventura tan original puede darme mucha gloria y divertimiento».

Decidido el asunto, el caballero se vistió de verde, que era su color preferido, fue a Camelot, se apuntó a la justa de la doncella que no podía verse por fuera y, como era previsible, la ganó.

Camino de La Beale Regard, agotado como estaba, pensó en reponerse y dormir en una posada que avistó en la linde del bosque. En la posada se celebraba un banquete y el caballero verde le preguntó al posadero la razón del mismo.

—Este banquete —dijo el posadero— ya es el último de toda una serie de festines y comilonas que se han sucedido a causa de la boda del guía principal de los laberintos subterráneos, esos pasadizos que comunican entre sí los castillos del fondo de los lagos, los que habitan las ninfas, el reino, en fin, del hada Indiga. Si quieres sumarte al banquete, no tienes más que decirlo, porque estos guías y duendes de los pasos subterráneos admiran mucho las hazañas de los caballeros andantes. En cuanto sepan quién eres, te invitarán a sentarte a su mesa y a que les relates tus aventuras, porque del caballero verde se cuentan muchas habilidades, en particular se destacan los juegos con la espada, si no estoy mal informado.

El caballero verde, entonces, le dio una buena propina al posadero y le pidió que no dijera a nadie quién era, pero que le llevase algo de comida al cuarto, porque estaba fatigado y no tenía ganas de cháchara.

—Por mucho que me cueste —dijo el posadero, tras guardarse la moneda de oro en el bolsillo—, mantendré la boca cerrada. No veo bien, no distingo los colores ni las armas, y confundo a pobres diablos con caballeros, pero si me dan una moneda, yo sirvo, sea la moneda de cobre, de plata o de oro, que tampoco lo distingo a simple vista. Suba el caballero o lo que sea las escaleras y acomódese en el primer cuarto con el que se tope, porque no hay otro, y en seguida mandaré yo a una moza con abundancia de comida y bebida, que de todo eso tenemos esta noche.

Así, el caballero verde, ya en su cuarto, se despojó de la pesada armadura y se recostó en el camastro, a la espera de la moza. Al fin llegó la moza, muy arrebolada, con una cesta en la que se acomodaba una cazuela de cocido y una botella de vino. Mientras sacaba estos enseres de la cesta, la moza se puso a llorar a grandes gritos, de manera que el caballero verde le hizo callar y luego le preguntó por qué lloraba de ese modo.

—Soy la joven más desgraciada de los contornos —dijo la moza—. Para mí querría la suerte de ésas que son llamadas doncellas desdichadas, que ellas ya tienen caballeros que las rescaten, pero mi desgracia no le importa a nadie. Te he visto venir y sé que eres el caballero verde, el caballero encargado de liberar a la doncella que no puede verse por fuera, pero antes, te lo suplico, atiende mi súplica, que no te llevará mucho tiempo y para mí será la vida.

El caballero verde le dijo a la moza que haría lo posible por ayudarla, siempre que la empresa no comprometiera su honor y que no le entretuviera mucho rato, pues estaba anhelante de procurar la libertad a su dama.

—Nada de eso ocurrirá, te lo prometo —dijo la moza, enjugándose las lágrimas—. Mira, mi tío, el posadero, me tiene un gran apego, y desde que se enteró de que Felón, el hijo del panadero, andaba detrás de mí, no me deja pisar la calle. Aprovechando que el panadero está enfermo en cama, por lo que, si nota la ausencia de su hijo, no puede avisar a nadie, le tendió una trampa a Felón ayer por la noche cuando el desdichado vino a verme. El caso es que lo tiene encerrado en un cobertizo del bosque y sospecho que, si nadie lo remedia, lo dejará morir, pues allí, por mucho que grite, nadie puede oírle. Sólo tú, que, bien lo sé, eres el caballero de las cinco espadas, te atreverías a salvarle, porque te sobra valentía e ingenio para hacerlo. Estoy segura de que esta empresa es cosa de coser y cantar para ti, y para nosotros es la vida, ni más ni menos.

El caballero verde miró, pensativo, a la moza. La aventura no le parecía propia de caballeros, pero, a la vez, no quería desatender las quejas de la moza, tanto porque le abrumaba toda lágrima de mujer como porque temía que si rehusaba ayudarla, la moza iría con el cuento a los duendes y trasgos que alborotaban en la planta baja de la posada y éstos luego no dejarían de propagar su negativa, adornándola con toda suerte de injurias y calumnias. Mucho admiraban, decían los duendes, las hazañas de los caballeros, pero el caballero verde desconfiaba del entusiasmo de los admiradores y sabía cuán rápidamente el entusiasmo, por un simple gesto, por una minucia, se convierte en rencor, en odio, en deseo de venganza. De repente, tuvo una idea, miró a la moza, que se llamaba Loti, y dijo:

—De buena gana accederé a tus ruegos, Loti, y sacaré del cobertizo del bosque a tu novio, el hijo del panadero, ese que dices que se llama Felón, nombre poco noble, por cierto, si me juras por Dios y Todos los Santos que eres aún doncella, porque yo tomaré sobre mí la aventura no porque seas moza sino por doncella, a ver si me entiendes.

La cara enrojecida y húmeda de lágrimas de Loti se abrió en una sonrisa, y de inmediato se hincó de rodillas, tomó en la mano el borde de la camisa del caballero verde y dijo:

—Lo juro por Dios y Todos los Santos. Soy y seré doncella hasta tanto Felón, con su nombre innoble a cuestas, que eso a mí no me importa, no me despose. Y, de lo contrario, vuelvo a jurar que permaneceré doncella hasta el fin de mis días.

—Muy bien has jurado —dijo el caballero verde—. Y ahora ayúdame a vestirme y llévame cuanto antes a ese cobertizo porque no es bueno demorar la acción que se interpone al cumplimiento de nuestros propósitos.

Poco después, el caballero verde y la moza abandonaron subrepticiamente la posada y en medio de la noche cerrada, una noche sin luna y sin estrellas, se internaron en el bosque. Allí, emboscados, estaban los sicarios de Morgana, quien había ideado todo este asunto de la moza, y se abalanzaron sobre el caballero verde, cogiéndolo desprevenido, y lo llevaron luego al cobertizo, donde fue reducido y encerrado, para que luego Morgana decidiera qué hacer con él.

VII

EL RESCATE DE LA DONCELLA QUE NO SE VEÍA POR FUERA

❦ El rescate de la doncella que no se veía por fuera ❦

Estos hechos, provocados por las malas artes del hada Morgana, llegaron a oídos de las doncellas desdichadas y suscitaron en ellas una gran preocupación y zozobra. Por descontado, fue Bellador, la doncella del gran sufrimiento, quien más gritos y lamentaciones profirió. Nada se sabía de la suerte que habían corrido, una vez fuera del castillo de Morgana, la doncella del sueño infinito y el caballero blanco, y los rumores apuntaban a tristes destinos. Bien conocía el hada Morgana el efecto que causa en el ánimo la fortuna de los otros, y se había esforzado por difundir noticias malévolas y alarmantes. Hasta se decía que la pobre Naromí, al ver derrotado al caballero blanco, había caído en un sueño tan profundo que era una forma de muerte, era la muerte, y ya estaban los dos enterrados y ni siquiera descansaban bajo la misma losa, decían unos, porque Morgana era así de vengativa y despiadada y no había querido concederles ese favor póstumo.

El apresamiento del caballero verde caía sobre la supuesta desaparición de Naromí y del caballero blanco, y las doncellas cautivas tuvieron que reconocer, con Bellador, que sus esperanzas no tenían mucho fundamento y que el poder del hada Morgana era superior a la buena voluntad del rey Arturo y a la valentía de todos los caballeros de la Tabla Redonda.

Alicantina, la doncella que no podía verse por fuera, pensó entonces en Merlín, a quien su madre había acudido cuando ella todavía no había visto la luz, y se preguntó de qué manera podría hacerle llegar el anhelo de que la ayudara ahora, porque no se le ocurría nadie más a quien poder recurrir.

—No pienses en Merlín —dijo Alisa, la doncella que hablaba con el viento—. El mago ya no se ocupa de otra cosa que de dar instrucción a su discípula Nimué con el objeto de retenerla a su lado todo el tiempo posible.

Entonces intervino la perfecta y orgullosa Delia, y dijo:

—Yo conozco a esa Nimué. Su madre fue dama de la mía y me parece que toda la familia está en deuda con nosotros. Si consiguiera hacerle llegar a Nimué mi mensaje, estoy segura de que ella o el mismo Merlín nos ayudarían. Creo que debemos valernos de Estragón, que nos mira con muy buenos ojos, sobre todo a Bellador. Le diremos al guardián que nos trae la comida, si es que puede llamarse comida a estos restos de pan duro y mohoso que nos arrojan como si fuésemos perros, que le pase un recado a Estragón. Algo habrá que prometerle a este guardián, aunque de momento no se me ocurre qué.

—De eso puedo ocuparme yo —dijo la cantarina y risueña Bess—. Al guardián le encantan los romances y, como conoce mi capacidad para componerlos, me ha pedido uno para presentarlo a un concurso que se va a celebrar entre todos los sirvientes del castillo y con el que luego obsequiarán a Morgana, porque pronto va a ser su cumpleaños y se preparan grandes fastos. Yo lo iba a componer de todos modos, porque no me cuesta ningún esfuerzo y me distrae muchísimo, pero ahora le pediré, a cambio, que nos traiga cuanto antes a Estragón.

Todas las doncellas celebraron la idea de Bess y se ofrecieron a ayudarla a componer el requerido romance. Y así estaban, muy entretenidas, hilvanando palabras, cuando el encargado de arrojarles los mendrugos de pan apareció tras los gruesos barrotes de la mirilla abierta en la pesada puerta de la mazmorra. Llamó a Bess y le preguntó cuándo estaría listo el romance, y Bess, entre risas, repuso que en cuanto pudiera hablar con Estragón, pues tenía que comprobar un detalle que sólo el enano le podía proporcionar. Se fue el guardián, conforme, y en seguida volvió, acompañado de Estragón, y Bess le pidió al guardián que le abriera la puerta al enano y que él se alejara un poco porque quería que el romance le sorprendiera y no convenía que escuchara la conversación. Estragón entró en la celda, el guardián se alejó, y la hermosa y afligida Bellador, tal y como habían acordado las doncellas desdichadas, pidió al enano que le hiciera saber a Nimué que Delia reclamaba su ayuda y que le recordara a Nimué, si hiciera falta, los favores que la madre de Delia había proporcionado a la familia de Nimué.

—Es muy poco lo que te pido, Estragón —dijo, llorando, la afligida Bellador—, a nada te compromete. En cambio, para nosotras sería un consuelo y te lo agradeceremos vivamente.

—El agradecimiento de las otras doncellas —susurró Estragón— ni me va ni me viene. Pero daría cualquier cosa por hacerte sonreír. Buscaré a Nimué, así esté bajo las piedras, pues la verdad es que nadie conoce el escondrijo donde el mago Merlín la va iniciando en su sabiduría, y le daré, cuando la encuentre, el recado de Delia, pero prométeme que luego me sonreirás.

—Ojalá fuera capaz de sonreír —dijo la sufridora Bellador—. Por desgracia, ya he perdido esa facultad, y lo único que te puedo prometer es intentar aprender a hacerlo si tú eres paciente y quieres enseñarme.

El enano Estragón, con los ojos brillantes, le declaró que su paciencia no conocía límites y que muy gustoso desempeñaría el papel de instructor en esa materia y en cuantas Bellador quisiera.

Así, Estragón abandonó la celda de las doncellas lleno de contento e ilusión, y luego el guardián le pidió a Bess que le dictara el romance y así estuvieron, entre susurros, cada cual pegado a un lado de la pesada puerta, Bess y el guardián, hasta que el romance fue dictado de principio a fin.

—Jamás en toda mi vida he escuchado un romance tan bueno —dijo el guardián, maravillado—. Estoy seguro de que será del agrado de Morgana y de ganar con eso el concurso.

Al cabo, el guardián cerró la mirilla y se alejó, y las doncellas desdichadas se sintieron muy contentas y satisfechas de haber conseguido sus propósitos, por mucho que su liberación aún se viera difícil y lejana.

Entretanto, el enano Estragón se puso a hacer todo tipo de pesquisas para encontrar a Nimué y recorrió luego el reino de punta a punta e incluso sobrepasó algunas de sus marcas y al fin dio con una inmensa piedra que había en un recodo del río y le pareció que por allí podía estar la entrada del escondrijo.

Lucía el sol, el enano estaba muy cansado y se quedó dormido en una especie de cueva, bajo la piedra. Cuando abrió los ojos, vio ante sí a un anciano que lo miraba intrigado.

—O mucho me equivoco —dijo Estragón— o tú eres el mismísimo Merlín, a quien llevo buscando durante muchos días y noches.

—Ese soy —dijo Merlín—, y ya sé para qué me quieres, porque te he adivinado el pensamiento mientras dormías.

—Entonces ya sabrás —dijo el enano— que ha sido la orgullosa Delia quien reclama la ayuda de Nimué, o la tuya, Merlín. ¿Quieres que le lleve a Delia algún recado o te las ingeniarás tú mismo para decirle lo que sea?

—Yo le tengo un afecto muy grande a Alicantina —dijo Merlín—, a quien su madre me hizo otorgar un extraño don, y así, Alicantina no puede verse por fuera, de manera que voy a tomar cartas en el asunto y me ocuparé de liberar al caballero verde, que se presentará, con mi ayuda, ante Morgana en menos que canta un gallo. Pero quiero que le digas a Delia que Nimué no se siente de ningún modo obligada hacia ella, y que no debiera ser tan presuntuosa, porque no tiene ni idea de los favores que su madre concedió o dejó de conceder, así como de los que la familia de Nimué disfrutó o dejó de disfrutar. No es bueno ir por la vida con tanta seguridad y arrogancia, Estragón, pero me temo que Delia no va a cambiar, le digas lo que le digas.

Cuando Estragón regresó al castillo de Morgana, se encontró con un gran revuelo. A duras penas entendió lo que le decían: que, no se sabía cómo, milagrosamente, aquella mañana había llegado el caballero verde; que Morgana le había puesto como condición luchar contra uno de sus caballeros más fornidos, ambos con los ojos vendados, en clara alusión a la dama que venía a rescatar el caballero, que no podía verse por fuera, aun cuando la venda del caballero verde era diez veces más densa que la venda del caballero de Morgana; que, no obstante, el caballero verde, tras pasar por momentos de acoso y terrible peligro, había vencido al caballero de Morgana, lo cual acababa de suceder, por lo que ya podía correr Estragón y llegar al patio central del castillo, si no quería perderse la escena.

Eso llegó a verlo Estragón: al caballero de Morgana, herido de muerte, en tierra, y al caballero verde, victorioso, reclamando, ante los ojos iracundos de Morgana, la liberación de Alicantina.

—Que todo se haga en el más absoluto de los secretos —dijo Morgana.

Y, cuando vio a su lado a Estragón, le pidió que se encargase de cumplir el encargo.

—No sé dónde has estado metido, Estragón —dijo Morgana—. Tienes la virtud de desaparecer cuando más te necesito.

—Eso no es del todo verdad —replicó Estragón—, porque ahora estoy aquí y llevaré a cabo lo que me pides.

Morgana dio a Estragón un pequeño puntapié, se encogió de hombros y abandonó el patio.

Entonces Estragón condujo al caballero a una habitación secreta y, antes de acudir en busca de Alicantina, le preguntó al caballero por qué había escogido la causa de una dama que tenía tan extraño don.

El caballero verde le replicó que lo había meditado mucho, pero que finalmente se había decidido por Alicantina, dispuesto como estaba a luchar por una de las doncellas y ganar así mucha fama, un poco por eliminación, y que en realidad no sabía muy bien lo que ese don podía significar.

—Pues me parece que has acertado de lleno —dijo Estragón—, porque Alicantina es una muchacha excelente y tengo la sensación de que te va como anillo al dedo. Una vez que la conozcas, la amarás, y podríais pedirle a Merlín que le restituyera la capacidad de verse por fuera que tenemos los otros seres humanos, para que la pobre no viva con tanta confusión, porque me consta que ese don le hace sufrir.

Dicho lo cual, Estragón bajó a las mazmorras, donde fue recibido con júbilo y agradecimiento, y puso en libertad a Alicantina. Le presentó luego al caballero verde y condujo a ambos por pasillos y escaleras secretas fuera del castillo. Allí se despidió, deseándoles mucha suerte y recomendándoles que no dijeran a nadie lo que había sucedido porque de lo contrario Morgana los haría matar.

Y Alicantina y el caballero verde, llenos de gratitud, dijeron que seguirían su consejo y, muy de acuerdo, se alejaron montados a caballo, porque Merlín, que había liberado al caballero verde, había dejado, en la linde del bosque, dos caballos muy veloces para que se alejaran de allí cuanto antes.

VIII

LAMENTACIONES DEL REY ARTURO

❧ Lamentaciones del rey Arturo ❧

Estaba el rey Arturo muy melancólico y bajo de ánimo cuando le dijeron que había llegado al castillo un mendigo, que ahora se encontraba en las cocinas, y que se empeñaba en hablar con él. Tanto había insistido el vagabundo, que al fin habían decidido preguntar al rey si quería verle, porque, además, sabían que el rey estaba desocupado y no le importunaba que le fueran a ver.

El rey Arturo, en efecto, dijo que trajeran al mendigo a su presencia, y, nada más verle, exclamó:

—¡Ya me decía el corazón que eras tú, querido Merlín! Antes de verte, lo he sabido y ahora, bajo el disfraz que llevas, aunque no es malo, te reconozco de verdad. No imaginas la alegría que me proporcionas. Ven a mis brazos y siéntate en seguida a mi lado, porque tengo el corazón lleno de melancolía y hablar contigo me va a procurar un gran consuelo.

Merlín se despojó de sus ropas de mendigo y, después de abrazar a Arturo, se sentó en la silla que el rey tenía a su lado y en la que sólo se sentaba Merlín.

—Muy vacía ha estado esta silla, querido amigo —se quejó Arturo—. Pero dime, Merlín, cuéntame cosas del mundo, porque hace tiempo que no tengo noticias de ninguno de mis caballeros, y lo poco que sé de ellos es que andan más o menos perdidos en la famosa demanda del Grial, y cuéntame también las aventuras de los siete caballeros vencedores del torneo de las doncellas desdichadas, porque no ha llegado ningún rumor de ellos a palacio.

—Los de la Tabla Redonda —dijo Merlín— están cansados, Arturo, porque la demanda del Grial es difícil y se les escapa de las manos cuando ya creen que la tienen. Son visiones que se esfuman, olores que se extienden y desaparecen, sabores exquisitos que no dejan restos en el paladar. Los caballeros deambulan en esta persecución y me temo que van a volver uno por uno, desanimados. A no ser Galagad, porque la fe ha penetrado en él y es el único que puede conseguir el Grial.

»De los caballeros vencedores en el torneo de las doncellas desdichadas, conozco la historia de dos, la del caballero blanco y la del caballero verde, y ahora mismo te las cuento, porque, además, en la del segundo intervine yo mismo, pero si no ha llegado a Camelot ningún rumor es por las malas artes de Morgana, que se ha empleado a fondo para que no se propaguen estas historias.»

Así, Merlín contó al rey Arturo las historias del rescate de Naromí, la doncella del sueño infinito, y de Alicantina, la doncella que no podía verse por fuera, y el rey disfrutó mucho con ellas y le pidió a Merlín que en cuanto tuviera noticias de las otras se llegara inmediatamente a relatárselas.

—¡Qué hermosas historias! —exclamó—. Estoy seguro de que ambos caballeros escogieron a las damas adecuadas y creo que las dos parejas van a ser muy felices. Tengo para mí que el hada Iris ya habrá debilitado la capacidad del sueño a la doncella del sueño infinito, y así esta doncella irá creciendo y madurando al compás de su amado, el dulce caballero blanco, cuya sonrisa prendó a todas las damas de esta corte. Y tú, Merlín, seguro que ya has resuelto esa extraña cualidad de Alicantina y esta doncella puede ya verse por fuera y ser mucho más confiada y feliz, de manera que colmará plenamente el amor del caballero verde, tan alegre y festivo, tan hábil en el manejo de la espada. ¡Qué buenos ratos pasamos en la corte con estos y los otros caballeros! Entonces la reina Ginebra estaba siempre a mi lado, dijeran lo que dijeran, y veíamos juntos los torneos y reíamos juntos las gracias de los bufones, y bailábamos, Merlín, hasta altas horas de la madrugada. ¡Cuánto la añoro, Merlín! Porque te supongo enterado de su enfermedad, ya que no se me ha escapado que no me has preguntado por ella, lo que yo he atribuido a delicadeza por tu parte, porque bien conoces cuánto la amo y que sólo de pensar en ella se me llena el corazón de congoja.

Merlín asintió, y su semblante se ensombreció.

—Créeme —siguió el rey Arturo—, que la enfermedad de la reina me causa una gran tristeza, más aún cuando yo no puedo ayudarla, porque es cosa del alma. Las benditas monjas de la cartuja de la Dulce Paciencia cuidan de ella y le proporcionan todo lo que necesita, pero yo sé bien que sólo el regreso de Lanzarote del Lago puede devolverle la salud, y a punto he estado en muchas ocasiones de obligarle a volver, amigo mío, porque no soporto ver languidecer a la reina. Yo mismo añoro a Lanzarote y no he vivido tiempos mejores que las temporadas en que venía a visitarnos. Su nobleza y disposición, su valentía y amenidad, no pueden igualarse. Ojalá se pudiera volver al pasado y corregir las torpezas que luego amargan la existencia, ojalá se pudieran arrancar sin causar daños a las buenas yerbas esos pequeños yerbajos en los que se tropieza y enreda nuestro pie y dejar el prado liso y sin mellas, pero las malas acciones humanas tienen la virtud de emponzoñarlo todo, y una pequeña brizna de maldad es suficiente para envenenar el campo entero.

»Todo ha ocurrido a la vez, amigo mío —suspiró Arturo—, la enfermedad de Ginebra y la demanda del Grial, y yo me he quedado muy solo. También podría quejarme de ti, Merlín, si no supiera que nada puede hacerse al respecto, y que no eres dueño de tu voluntad. ¡Ay, Merlín!, ¡qué poca cosa somos los hombres, reyes o magos! En menudo error están los hombres y mujeres corrientes, que nos imaginan tan poderosos y no saben que muchas veces estamos con el corazón partido. Se creen que vivimos sin zozobras y que, al no faltarnos de comer ni de vestir, no nos falta de nada. Y no es que yo me cambiara ahora por uno cualquiera de ellos, porque sabe Dios que en este gobierno he puesto mi orgullo, pero sí por el hombre que es amado como desea.»

Merlín estuvo un rato pensativo. Luego dijo:

—No sé, Arturo, si es cierto lo que dices. Tú mismo reconoces que la Tabla Redonda te ha llenado de orgullo, y, si lo recuerdas, has obtenido enorme satisfacción con las grandes victorias ganadas a tus enemigos. Te has hecho famoso hasta más allá de los confines del reino y no ha habido castellanos que no se hayan puesto finalmente a tus pies ni caballeros que no se hayan ofrecido a dar su vida por ti. Has promulgado leyes justas y las has aplicado con equidad, has instruido a tus ministros y has escuchado a tus súbditos. Al lado de todo eso, la debilidad de una mujer no es nada, porque, además, Ginebra te ha amado y en el fondo no tienes ninguna prueba de su traición. Tú mismo reconoces que añoras a Lanzarote del Lago, el buen caballero, que te ha servido con sobrada entrega. No es tan extraño que la reina también lo añore. Aquellos eran tiempos más alegres y amenos, porque se trataba de conquistar y vencer, pero tu reino ya está consolidado y los caballeros de la Tabla Redonda han tenido que ocuparse en otras aventuras. Ahora están dispersos por la demanda del Grial, pero cuando se cansen de esa demanda, lo que sucederá de un momento a otro, regresarán y se sentarán de nuevo alrededor de la Tabla Redonda y te preguntarán si tienes encargos que hacerles. Bien podrías, ahora que dispones de tiempo, ir pensando en ese futuro que te aguarda y hacerlo prometedor para todos.

—Eres muy sabio, buen Merlín —dijo Arturo, después de un suspiro—. Tu consejo no puede ser más procedente y sensato, pero aún no tengo ánimo para seguirlo. Es verdad que, si me pongo a recordar todos los hechos y las hazañas de mis nobles caballeros, me lleno de orgullo, pero también de nostalgia, porque ya no soy el que fui, ni ellos tampoco. Me faltan fuerzas, del mismo modo que antes me sobraban. La demanda del Grial, si quieres que te diga la verdad, me ha cogido por sorpresa y me asombré de que todos los caballeros se lanzasen en su persecución.

»Pero las aventuras de los nuevos caballeros me han consolado mucho —dijo, cambiando el tono— y si algo tengo que planear es una treta para desbaratar los planes de Morgana y acabar con sus caprichos y tiranías. Ahora que conozco el peligro que, una vez victoriosos, corren estos caballeros, el caballero blanco y el caballero verde, haré lo posible para encontrarlos y protegerlos, y quiero que todo el mundo se entere del éxito de sus aventuras y de las derrotas de Morgana, que se ha ido forjando fama de invencible.

»En cuanto a los otros cinco caballeros que salieron vencedores en el torneo de las doncellas desdichadas, como no se ha sabido nada de ellos, es seguro que han caído en las artes y trampas de Morgana, por lo que sin duda estarán retenidos en algunas cuevas y prisiones, cuando no muertos. Creo, Merlín, que deberíamos interesarnos por la suerte de estos cinco caballeros retenidos o encantados por Morgana y ayudarles a concluir con éxito sus demandas.»

Así se estuvieron un buen rato el rey Arturo y el mago Merlín, haciendo planes para vencer a Morgana y liberar a todos los que vivían bajo su malsana influencia. Y en esas estaban cuando se escuchó un gran alboroto, y unos mensajeros muy demudados irrumpieron abruptamente en la sala.

El castillo de Tintagel estaba en llamas, dijeron. El rey Marco de Cornualles lo tenía en terrible descuido y al parecer últimamente lo ocupaba una banda de facinerosos y se habían acumulado entre sus muros montones de basura y desperdicios. Fuera por su culpa o por la de una banda enemiga, el caso era que ardía sin remedio y pronto estaría reducido a ruinas.

El rey Arturo escuchó estas noticias y luego determinó acercarse a Tintagel, porque en ese castillo había sido concebido y su desaparición le estremecía.

IX

El caballero bermejo
y la sirena Selma

❦ El caballero bermejo y la sirena Selma ❧

Entretanto, el caballero bermejo, que había salido vencedor en la justa de la doncella de la alegría perpetua, llevaba ya un tiempo confinado en un islote frente a las escarpadas costas de Cornualles, adonde las malas artes de Morgana, ayudada por una sirena, le habían llevado.

El caballero bermejo era muy alegre y emprendedor, y en esto se parecía al caballero verde, pero este caballero bermejo era, también, un poco simple. No pensaba demasiado las cosas. Se había apuntado a la justa de Bess como se podía haber apuntado a la de cualquier otra de las doncellas cautivas y cuando comprendió que le había caído en suerte liberar a la doncella de la alegría perpetua se echó a reír, lleno de contento.

Había llegado, sin dejar de cabalgar, hasta la costa, y decidió montar la tienda en una playa para pasar la noche escuchando los diferentes rugidos de las olas, que le maravillaron. Pero antes del amanecer, le despertó el canto de una sirena y el caballero fue a saludarla, porque nunca había visto a una sirena y le inspiraba mucha curiosidad. La sirena, bellísima, le dijo que era presa de un encantamiento y que desde hacía mucho tiempo estaba a la espera de un caballero bermejo, quien estaba destinado a romper el encantamiento.

—Pues ese debo de ser yo —dijo el caballero bermejo—, y te juro por Dios y Todos los Santos y por mi misma vida que haré lo que sea para romper tu encantamiento.

—Sólo tienes que desnudarte y nadar conmigo —dijo la sirena, que se llamaba Selma—. Pero tienes que prometerme que no te quejarás de cansancio ni te echarás para atrás, porque vamos a nadar un buen trecho. Piénsatelo antes de entrar en las aguas, porque de lo contrario es posible que te ocurra alguna calamidad.

—No soy de esos que se arredran ante las dificultades y amenazas —dijo el caballero bermejo—. Aunque te quiero aclarar que, en cuanto tu encantamiento sea roto, tendré que dejarte, porque me he comprometido con la suerte de la doncella de la alegría perpetua, que está presa en el castillo de Morgana.

—No te preocupes —repuso la sirena Selma—, que, una vez desencantada, no haré nada por retenerte, por mucho que lo sienta, pues eres un caballero de lo más apuesto y simpático y me parece que no me costaría ningún esfuerzo compartir el lecho contigo.

—Ya me habían dicho que las sirenas eran muy francas —dijo el caballero—, y te diré que eso me complace muchísimo, porque yo también soy amigo de la claridad y del mismo modo te digo que, si yo no tuviera el compromiso de la dama de la alegría perpetua, no dudaría ni un segundo en aceptar la invitación que más o menos me has hecho.

Dicho esto, el caballero se desnudó y se echó al agua y empezó a nadar junto a la sirena Selma, que lo llevó muy lejos, hasta los acantilados de Cornualles. Y es verdad que el caballero bermejo, aun cuando al final estaba muy fatigado, no se quejó en ningún momento, pero tenía tal necesidad de descanso que nada más pisar la tierra del islote ante el que Selma quiso detenerse, se quedó dormido, completamente exhausto.

Cuando se despertó, algunos días después, no había ni rastro de la sirena. El islote en el que se encontraba era minúsculo y sólo tenía vegetación por uno de sus lados. Las olas y el viento lo batían con furia y producían tantos ruidos y ecos que hubiera sido inútil alzar la voz con el objeto de que alguien le escuchara. No, no había ninguna probabilidad de ser rescatado. Los navíos no se aventuraban por esas costas. Y, al cabo, a pesar de todo su optimismo y de su simpleza, el pobre caballero bermejo hubo de reconocer que la sirena le había engañado, y a punto estuvo de entregarse a la desesperación. Luego, sacando fuerzas de flaqueza, recorrió el islote, y se aplicó a la tarea de construirse una cabaña en la parte más resguardada.

De esta y parecidas maneras pasaron los días y al fin llegó la noticia de la desaparición del caballero bermejo a oídos de las doncellas cautivas, y la alegre Bess enmudeció por unos instantes, pero poco a poco se fue olvidando de la triste suerte que había corrido el caballero bermejo, a quien no conocía y a quien todavía no amaba, y siguió con sus canciones y su andar saltarín, si bien de vez en cuando se quedaba pensativa.

Las otras cuatro doncellas desdichadas ya no sabían qué hacer. Seguían atentas a la aparición del guardián y le pedían noticias, pero el guardián, que había ganado el concurso de romances en la fiesta de cumpleaños de Morgana, repentinamente dejó de venir y luego fue sustituido por otro, mucho menos comunicativo, que apenas miraba a las doncellas cuando arrojaba por la mirilla los resecos mendrugos de pan o cuando, por una pequeña rendija de la pesada puerta entreabierta, empujaba hacia ellas una jarra de agua bastante turbia.

Tampoco Estragón se dejaba ver últimamente, y Bellador se quejaba más amargamente que nunca y hasta culpaba a la orgullosa Delia de haberle hecho creer que el enano estaba enamorado de ella y de haber alimentado con eso una pequeña esperanza de salir de la prisión.

—No sé por qué te creí —decía, llorando, Bellador—, pero te creí. Quizá fuera que, acostumbrada como estoy al sufrimiento desde que nací, no me parecía inapropiado ser la receptora del amor de un desgraciado enano, un ser deforme, maltrecho, que sólo sirve de bufón o recadero secreto. Pero he sido una necia, y ni estos seres monstruosos pueden amarme ni fijarse en mí. Moriremos aquí, no volveremos a ver la luz del sol; Dios y

Todos los Santos del cielo se han olvidado de nosotras, ¿qué mal hicimos? Si acaso, alguna de vosotras osó mirar a Accalon de Gaula, el amado de Morgana, pero, ¿es que el solo mirar merece este castigo?

Alisa, que raramente hablaba con sus compañeras, contestó en una ocasión a esta pregunta que con tanta frecuencia, entre gemidos y lamentaciones, se hacía Bellador.

—Amigas mías —dijo—, compañeras de infortunios, ahora que parece haber cesado el menor rayo de esperanza para nuestra liberación, os voy a contar una historia que he guardado dentro de mí y que me pesa un poco. Quizá sea yo, compañeras, la única verdaderamente culpable, la única que merece morir en la prisión de este castillo espantoso. Yo miré a Accalon de Gaula, no quiero negarlo ya por más tiempo, lo miré y sentí sus ojos clavados en los míos, traspasándome toda, conmoviéndome de una manera que no puedo describir. Como sabéis, yo tenía la costumbre de hablar con el viento, y por eso mis padres me miraban con extrañeza y no quisieron darme la educación ni los cuidados que otorgaron a mis hermanas, de manera que crecí de un modo un poco salvaje y he disfrutado, hasta aquella hora aciaga, de mucha libertad y hacía lo que me venía en gana. El caso es que Morgana quiso conocerme, intrigada por mis extrañas capacidades, y quiso la fatalidad que viniera al castillo de mis padres en compañía de Accalon de Gaula. Yo sólo sé que cuando me topé con Accalon me quedé paralizada. Nos quedamos enfrentados y embelesados los dos, Accalon y yo, como si fuésemos presos de un encantamiento. De todo lo que sucedió después, apenas me acuerdo. Creo que, como a vosotras, Morgana me mandó llamar y me tendió una trampa para encerrarme aquí. Ahora quiero deciros que esta muerte que se acerca a pasos de gigante y que en breve me llevará consigo, no es en vano para mí. Sé que mirar no merece un castigo, pero aquella mirada ha sido el premio de mi vida y no me importa pagar por ello. Quiero decíroslo ahora por si alguna de vosotras sobrevive, porque me gustaría que esta historia se conociera y llegara alguna vez a oídos de Accalon de Gaula. La esperanza de que eso suceda me produce un inmenso consuelo.

Alisa calló, y las otras doncellas enmudecieron también, impresionadas y conmovidas. Hasta Bellador enjugó sus lágrimas, y la orgullosa Delia, que llevaba unos días callada, taciturna, recostada en un rincón de la mazmorra, miró a Alisa con admiración.

—Te creía más desafortunada que yo —dijo al fin Findia—, pero ya veo lo equivocada que estaba. Mi desmemoria me parecía muy poca cosa en comparación con tu locura, pero ahora declaro que tu locura es sublime y envidiable, pues de todas nosotras eres la única que va a encontrar un sentido en la muerte. Yo no sé si miré a Accalon de Gaula o lo dejé de mirar, no me acuerdo, quizá hubo algo entre nosotros, quién sabe. Moriré sin tener un solo recuerdo, vacía, estupefacta. Mi vida ha sido un constante morir, porque todo se ha ido borrando en cuanto quedaba detrás. Después de escucharte, ya sé que soy la más desgraciada

de todas nosotras, aunque de mis ojos no fluyan las lágrimas.

El silencio se apoderó de nuevo de las doncellas y
duró muchos días y muchas noches, iguales entre sí,
porque en la celda no entraba el sol. Una continua, inacabable hora oscura lo llenaba todo.

X

La empresa
del guardián Seleno

La empresa del guardián Seleno

El guardián a quien Bess había hecho el favor de componer un romance para la fiesta de cumpleaños de Morgana, después de obtener el primer premio en el concurso de romances, había caído en desgracia. Las malas lenguas, movidas por la envidia, decían que se había prendado de la doncella de la alegría perpetua y que estaba dispuesto a ayudarla a escaparse, contradiciendo la voluntad y orden de Morgana. Por lo cual había sido relevado de su puesto y andaba por las cocinas, fregando suelos.

Ahora, con la cabeza inclinada sobre las losas, las rodillas en tierra, este hombretón, que se llamaba Seleno, tenía mucho tiempo para pensar. Ciertamente, también lo había tenido cuando era guardián, pero entonces no lo había valorado. Es más, se había aburrido mucho. Pero ahora que trabajaba más ya no se aburría, y mientras los otros le mandaban de aquí para allá, abusando de él, que no tenía nadie que lo respaldara, pensaba. Y de tanto pensar, pensó en Bess y en aquella voz cantarina que, palabra a palabra, con inacabable paciencia, había recitado el romance mil veces para que él lo aprendiera.

«Tal vez sea verdad —se decía Seleno— que me haya prendado de ella, y como ya no tengo nada, o casi nada, que perder, porque esta vida que llevo es una porquería, voy a ver si se me ocurre alguna cosa para ayudarla. El caso es que el único que puede liberar a Bess es el caballero bermejo y yo no soy más que un miserable mozo de cocina que no puede pretender competir con caballero alguno, por lo que no voy a tener más remedio que hacer lo imposible por buscar el dichoso islote donde se encuentra ahora el caballero bermejo y traerlo luego aquí y ayudarle en lo que sea para que gane la vida de la alegre y cantarina Bess, y yo le pediré, a cambio, que me nombre paje de la dama.»

De modo y manera que una madrugada, Seleno, bien aprovisionado, salió a escondidas del castillo de Morgana porque, habiendo sido guardián, se conocía muchos secretos pasadizos, y empezó a caminar rumbo a los acantilados de Cornualles. Seleno era un hombre muy obstinado y perseverante. Por lo demás, pasaba completamente desapercibido y nadie le cerró el paso. Dormía en cuevas, entre las raíces de los árboles y en granjas y castillos abandonados, porque prefería no tener mucho que ver con las personas, ya que en la conversación se cometen muchos errores y no quería levantar ninguna sospecha.

Al fin, después de muchas semanas de camino y con las piernas debilitadas y entumecidas, un atardecer brumoso y destemplado llegó a los impresionantes acantilados de Cornualles y atisbó una serie de islotes, preguntándose en cuál de ellos estaría confinado el caballero bermejo.

Sólo había una manera de saberlo, y era ir e inspeccionar uno a uno los islotes. Y como ya era tarde y estaba rendido, Seleno se acomodó entre unos arbustos y se quedó dormido, con la esperanza de encontrar por la mañana la forma de llegarse hasta las islas. Cuando abrió los ojos y se puso en pie, vio que de uno de los islotes, el más lejano y pequeño, salía una columna de humo y se dijo que sin duda ése era el islote del caballero bermejo, que se las debía de haber arreglado para hacer fuego con el objeto de calentarse y hacerse la comida. Animado por esta señal, Seleno recorrió el borde del acantilado, por si había por allí abajo alguna pequeña cala en la que albergarse mientras construía una balsa, aún no sabía con qué. Atisbó al fin una cala de buen tamaño, y bajó como pudo, con sumo cuidado, hasta la playa. Era una cala muy resguardada donde, al abrigo del viento, crecían algunos árboles que, bien cortados y unidos entre sí, podían convertirse luego en una balsa. Seleno estuvo a punto de quedarse el día vagabundeando por la cala, que era hermosísima, pero recordó que a la pobre Bess quizá le quedaban pocos días de vida, por lo que había que darse prisa y, ni corto ni perezoso, se puso de pies y manos a su tarea.

Él mismo se asombró de su habilidad al construir la balsa. «Yo hubiera debido aprender un oficio —se decía, tarareando—, porque es mucho más ameno hacer algo con las manos que todas las guardias y vigilancias que he hecho en mi vida, y no digo nada de los fregoteos, que me tenían harto. Aunque también es verdad que si no hubiera sido el guardián de las mazmorras de La Beale Regard no habría conocido a Bess, que es lo más importante que me ha pasado nunca, porque lo de ganar el concurso fue cosa de un momento y luego todo se vino abajo, si bien disfruté mucho recitando el romance. ¡Ay, Bess!, aún tengo tu voz cantarina grabada en el pecho y juro por Dios que llevaré al castillo al dichoso caballero bermejo para que te rescate, me cueste lo que me cueste.»

Una vez finalizada la balsa, la proveyó de un palo donde aparejar una vela, hecha con unas sábanas que había tenido la precaución de llevarse consigo, hizo unos remos y echó la balsa al mar, bastante encrespado aquella mañana, y luego, tras luchar un buen rato con las olas, se subió a la balsa y puso todo su empeño en dominarla.

Mal que bien, se fue acercando al islote del caballero bermejo, que se pasaba las horas mirando el mar, sobre todo hacia la zona de la costa, por ver si divisaba signos de vida. Pero por aquellos acantilados no se aventuraba nadie y el caballero comprendía que la sirena le había llevado a un paraje completamente despoblado y que, si no se producía un milagro, envejecería y moriría en medio del mar. Al principio, había pensado que, ya que había llegado hasta allí a nado, quizá pudiera alcanzar la costa, yendo de un islote a otro, pero la empresa cada vez le parecía más arriesgada, porque el mar estaba siempre muy agitado y era muy traidor, y el estruendo que producía al chocar con el islote se le fue metiendo al caballero en el alma, desanimándole de esta idea. Por lo demás, como el caballero bermejo tenía un fondo muy alegre y optimista, a pesar del terror que le había cobrado al mar, le gustaba mucho contemplarlo y recrearse en las diferentes tonalidades, que, con los cambios de la luz, se producían en él. Así se estaba el caballero muchas horas, y por eso vio en seguida la balsa de Seleno y la miró lleno de curiosidad, porque no podía comprender que nadie se hubiera embarcado en aquel precario ingenio ni, mucho menos, con el objeto de rescatarle a él.

«¿Quién será este extraño ser que viene flotando entre las olas, desafiando los peligros del mar y de todos los elementos? —se preguntaba el caballero—. Sin duda, debe tratarse de un loco, y me parece que viene directo hacia mí, de manera que tendré que habérmelas con él.»

El caballero bermejo había perdido un poco el juicio, que por lo demás nunca había sido su fuerte, y no se le podía ocurrir que alguien estuviera preocupado por su desaparición. En todo caso, cuando vio que la balsa, aunque a duras penas y como por milagro, se dirigía hacia la única y reducidísima zona arenosa del islote, fue también él hacia allí, para seguir de cerca la operación. Se quedó muy asombrado cuando el hombre desarrapado de la balsa le miró y habló como si le conociera.

—Tú debes ser el caballero bermejo —dijo Seleno, a gritos—. Yo soy Seleno y vengo a llevarte al castillo de

Morgana para que lleves a cabo tu empresa de liberar a la doncella de la alegría perpetua. Acércate y ayúdame a poner en seco la balsa.

Aunque muy torpemente, el caballero bermejo ayudó a Seleno que, al apoyarse sobre él para salir de la balsa, casi lo tumbó.

—¿Y quién te envía a ti? —preguntó el caballero con un hilo de voz, pues hacía meses que no hablaba con nadie y el mecanismo de la voz, al no haberse utilizado, apenas le funcionaba.

—A mí no me envía nadie —dijo Seleno—, sino que vengo escapado del castillo de La Beale Regard, donde he sido guardián durante años, y lo hago por mi propia voluntad, porque me duele el cautiverio de la alegre Bess, y tú eres su única esperanza.

A trancas y barrancas, el caballero fue comprendiendo que aquel hombretón, en cuanto se recuperase, le haría subir a la balsa y le llevaría a la costa y luego, si todo salía bien, le conduciría al castillo de Morgana, para que luchara por la vida de la doncella de la alegría perpetua, y todo esto, como estaba tan debilitado y fuera del mundo, le pareció un sueño, un imposible, pero no dijo nada, porque no tenía fuerzas ni palabras para discutir, y como vio que el hombre aquel estaba muy cansado, lo invitó cortésmente a su cabaña, con el noble propósito de darle algo de comer y de beber y de ofrecerle un lecho donde dormir a resguardo, después de secarse las ropas.

Y Seleno, fatigado como estaba, y comprendiendo que el caballero bermejo no estaba muy en sus cabales, lo siguió silencioso hasta la cabaña. Y la verdad es que allí se maravilló, porque el caballero bermejo se las había arreglado bastante bien y vivía con cierta comodidad.

«Quizá —se dijo—, también este caballero bermejo ha descubierto el gusto que da hacer las cosas con las manos y ha tenido ocasión en este destierro de cultivar destrezas que en toda su vida de caballero andante no ha descubierto.»

Así que Seleno, mientras comía y bebía, olvidó a la doncella de la alegría perpetua y la olvidó luego mucho más cuando se quedó dormido.

Al despertarse, no sabía bien dónde se encontraba. Salió de la cabaña y vio al caballero bermejo, sentado sobre una roca, absorto en la contemplación del mar, y se llegó hasta él para recordarle su misión. El caballero le dijo a todo que sí, pero parecía más resignado que contento, y Seleno tuvo un momento de indecisión, como si dudara en arrancar de esa vida salvaje al caballero bermejo. Aquel día se desencadenó una fuerte tormenta, y Seleno casi se alegró, porque resultaba temerario intentar alcanzar la costa con aquellos vientos. Permanecieron en la cabaña, silenciosos, meditabundos, y, al amanecer, cuando se restableció la calma, botaron la balsa y embarcaron.

El regreso a la costa fue sorprendentemente fácil. El viento soplaba a favor y ni siquiera tuvieron que utilizar los remos. Subieron luego el acantilado, y subir, como se sabe, es más fácil que bajar, por lo que Seleno lo hizo de modo muy rápido y lo comparaba, encantado, a gritos, con el descenso que había realizado un par de días antes y que había sido tan costoso.

El pobre caballero bermejo lo seguía como podía, pero al fin estuvieron los dos en la cima y emprendieron el largo viaje hasta el castillo de La Beale Regard, que fue algo más dificultoso y lento que el de ida, porque el caballero bermejo estaba muy debilitado y cayó varias veces enfermo. Pero Seleno lo cuidó y al fin, una noche fría y cerrada, lo condujo por secretos laberintos hasta el corazón del castillo.

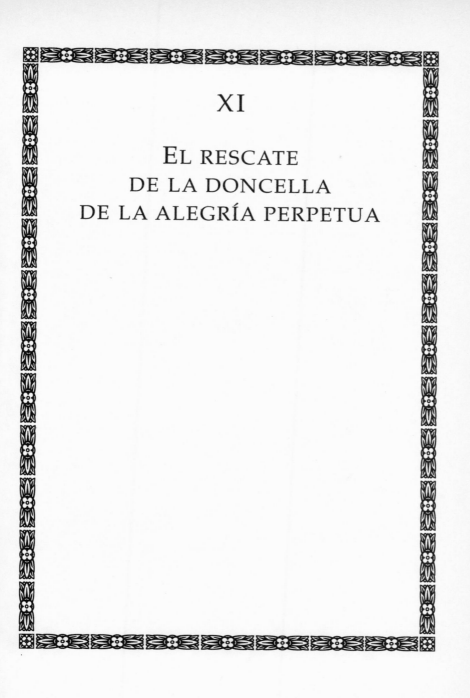

XI

EL RESCATE
DE LA DONCELLA
DE LA ALEGRÍA PERPETUA

❦ EL RESCATE
DE LA DONCELLA
DE LA ALEGRÍA PERPETUA ❧

Cuando Morgana vio al caballero bermejo, comprendió que no podía ponerle ninguna condición para la lucha, porque el caballero estaba muy demacrado y delgadísimo, y parecía que con un solo empujón se le podía abatir. El pobre caballero bermejo, más que bermejo o de cualquier otro color, era ahora un caballero transparente. A Morgana le gustaba el riesgo y no le complacían en absoluto las victorias fáciles. Encerrar a las doncellas, después de tenderles una serie de trampas, había sido bastante entretenido, pero mantenerlas en prisión era otra cosa. Morgana era impulsiva y, en medio del arrebato, podía ser cruel, pero, pasado el impulso, no se recreaba en la crueldad y le interesaba mucho más otra clase de experimentos, no en vano había sido alumna de Merlín, y alumna aventajada.

El gran torneo celebrado para obtener la liberación de las doncellas le había alegrado porque ella era la causa última de las justas y le gustaba que se recordara su poder, pero ahora que ya habían sido rescatadas dos doncellas y que, según parecía, la corriente de jóvenes caballeros no iba a cesar hasta conseguir la liberación de las siete —porque estaba claro que Merlín las estaba ayudando—, tenía que cambiar de estrategia. De momento, había conseguido que nadie supiera nada de la liberación de las dos doncellas por cuyo rescate habían luchado el caballero blanco y el caballero verde, pero el silencio no se puede asegurar para siempre y tarde o temprano las cosas se acaban por saber. ¿No era más prudente, tal como estaban las cosas, poner ella misma en libertad a las desdichadas doncellas?

Así que después de entrevistarse con el caballero transparente, Morgana dijo que lo mejor era que esa noche todos descansaran y que por la mañana le comunicaría su decisión.

Pensó mucho durante la noche, recordó los tiempos en que Merlín les instruía, a ella y a su hermano Arturo, ahora el rey más poderoso del mundo, y el corazón se le ablandó un poco. Merlín se asombraba de su inteligencia, de la rapidez con que ella aprendía, y Arturo no se había mostrado celoso jamás. Todo lo contrario. La apoyaba, la elogiaba, le hacía sentirse admirada. Había asuntos de los cuales Arturo se desinteresaba y dejaba a Morgana sola con Merlín, que, lleno de celo y de entusiasmo, sin un ápice de desconfianza, le desvelaba magias y fórmulas secretas.

Morgana retrocedió en el tiempo y se vio a sí misma, de niña, flanqueada por su hermano Arturo y por el sabio Merlín, caminando por el bosque, inclinada sobre un matojo de yerba recién arrancado de la tierra. Podía oler la humedad guardada bajo los frondosos árboles, sentirla en la piel, podía ver los haces de rayos de sol que se filtraban entre las hojas y salpicaban de motas pálidas la hojarasca que cubría la tierra. ¿En qué momento la curiosidad había devenido en aquella necesidad de venganza que la abrasaba por dentro? Pero ahora podía penetrar en aquel muro y palpar de nuevo la inocencia, como el sol llegaba hasta las hojas secas, caídas, a través del intrincado ramaje de los árboles. Tener nostalgia de la inocencia perdida no sirve para nada, sólo da tristeza, desánimo. Tener nostalgia de la inocencia perdida es peligroso, porque mina el espíritu, lo desarma.

«No puedo flaquear —se dijo Morgana—, lo que se ha comenzado se debe acabar. El caballero transparente debe luchar por la libertad de su dama, como lo mandan las reglas. Pero le voy a poner una prueba muy distinta a la que espera, le voy a hacer luchar contra un muchacho que pese y mida lo que pesa y mide ahora el caballero transparente, y así daré, por un lado, muestras de magnanimidad, y, por otro, pondré en un aprieto al caballero transparente, que no osará levantar la espada contra un infante.»

Y, contenta con la idea, Morgana durmió un rato, casi al amanecer, y a media mañana comunicó su decisión al caballero y buscó al muchacho que había de combatir con él.

Era éste un mozalbete muy fuerte y muy bien formado, llamado Lucho, que había sido acogido en la guardia personal de Morgana por ser hijo, decían los rumores, del guarda más veterano. Nadie pensaba que tuviera muchas luces, pues permanecía la mayor parte del tiempo callado, aunque, por la expresión de sus ojos, no parecía que pensara en nada. Todos los indicios apuntaban a un ser vacío, desprovisto de emociones y pensamientos, pero muy hábil en el manejo de la espada, la única inclinación que se le conocía.

Lo cierto era que Morgana no sentía la menor simpatía hacia él. Cuando sus ojos se cruzaban con los ojos vacíos de Lucho, se estremecía. Lucho le resultaba inquietante. Era felino, su violencia era silenciosa, y su fuerza descomunal, totalmente desproporcionada para su temprana edad y su baja estatura. La asustaba.

A veces, Morgana se encuentra con Lucho detrás de una cortina, de una puerta, y cree que está allí para espiarla y matarla, cree que es la mano vengadora del padre, que en su juventud fue amante de Morgana. Lucho la mira con el reproche y la amenaza en el fondo de los ojos vacíos. La odia por no ser su hijo, ha llegado a pensar Morgana. Ha nacido fuera de tiempo, sin oportunidades. La madre trabaja en la cocina, es una mujer grande, inexpresiva, quizá algo retrasada. A Morgana tampoco le gusta esta mujer, aunque nunca la ve, y sabe que Lucho la trata mal. A su manera felina, la humilla. Si Lucho muere, Morgana no le llorará, por el contrario, celebrará haberse librado del espionaje. Si Lucho mata al caballero bermejo, de algo habrá servido su existencia, y ya habrá ocasión de deshacerse de él. Este es el juego que propone Morgana.

El caballero bermejo, ahora casi transparente, cuando supo que su contrincante iba a ser un mozalbete, se quedó atónito y se preguntó si no sería indigno entablar lucha alguna con él. No obstante, la hora de la contienda llegó y, apenas consciente, dejó que le armaran y prepararan. Lo condujeron luego al patio de armas y le presentaron al muchacho, vestido, como él, de caballero y se encomendó a la Santísima Trinidad, porque nunca había oído hablar de una justa como la que le había tocado en suerte.

Y lo que sucedió fue lo siguiente:

Lucho, con la espada en la mano, feliz por la expectación que sentía a su alrededor, acometió contra el caballero bermejo y de un solo golpe lo abatió y lo puso a sus pies. Se inclinó para despojarle de la espada, que aún sostenía el pobre caballero e, inexplicablemente, cayó sobre él, como si se hubiera tropezado con algo, al tiempo que la espada del caballero bermejo se enderezaba y atravesaba la coraza de Lucho. Y todo esto se pudo ver con toda claridad porque sucedió muy despacio, como si nunca terminara de suceder y todos los presentes comprendieron, sin sombra de duda, que se trataba de un caso de magia.

Declarada la victoria del caballero bermejo, Morgana se apresuró a hacer jurar a todos los testigos de la justa que no despegarían los labios para hablar de ella, a no ser que prefirieran morir. Y todos los testigos juraron callar.

Entonces Estragón, como lo había hecho en las anteriores victorias del caballero blanco y del caballero verde, llevó al asombrado caballero bermejo a una estancia secreta, donde lo dejó al cuidado de Seleno, y bajó después a las mazmorras para rescatar a Bess, la doncella de la alegría perpetua.

Estragón se quedó horrorizado del estado en que se encontraban las doncellas. Las lamentaciones de Bellador, la doncella del gran sufrimiento, eran ahora como un hilo tenue y quebradizo. Las otras doncellas estaban tendidas, cada una en un rincón, vencidas, desesperanzadas. Bess seguía cantando, desde luego, y su voz alegre, aunque muy debilitada, se mezclaba con las quejas de Bellador y el resultado era un extraño dúo, una cantinela que no parecía provenir de gargantas humanas. Parece un sonido marítimo, se dijo Estragón con el hielo en el alma, un sonido cavernoso y sibilante.

Bess se despidió de sus compañeras, las besó y acarició, les prometió que no las olvidaría, y ellas la abrazaron con el resto de sus fuerzas, como si quisieran retenerla, temerosas de irse quedando cada vez más solas, preguntándose todas quién sería la última en salir de la prisión y si no morirían antes de respirar el aire puro y ver la luz del sol.

—¡Estragón! —gritó entonces Bellador—. Por lo que más quieras, ayúdanos. Dice Delia que no te desagrado y yo te prometo, Estragón, que con mucho gusto me casaré contigo, por muy desigual que sea la boda, si me sacas de aquí.

Estragón la miró con el corazón partido y, aunque en su fuero interno resolvió hacer lo imposible por liberarla, sólo dijo:

—No soy más que un miserable enano y no tengo ningún poder. Aun así, no deberías burlarte de mí, Bellador ni prometer lo que bien sabes que no puedes cumplir. Te disculpo porque bien veo que no te encuentras ya en tus cabales, pues el hambre y la prisión te han trastornado.

Estragón tenía cogida a Bess de la falda y dio luego la espalda a las demás doncellas para dirigirse hacia la pesada puerta de la mazmorra. Desde allí, se volvió y dijo en un tono levemente irritado:

—Poco a poco, las cosas están saliendo bien. Me parece que os habéis entregado a la desesperanza con delectación. Merlín os está ayudando, pero ya podríais poner algo más de vuestra parte, porque la magia hay que merecerla.

Y con estas palabras y el ceño fruncido, sin volver a mirar hacia la doliente Bellador, porque sus palabras le habrían partido el corazón, Estragón dejó a las doncellas cautivas y condujo a Bess hasta la celda donde descansaba el caballero bermejo.

Pero antes de reparar en el caballero bermejo y transparente, que estaba tendido en el lecho y dormitaba, Bess vio a Seleno y dio un grito de alegría.

—Ya sabía yo que estabas vivo —dijo, muy contenta—. Y dime, ¿ganaste el concurso de romances?

—Lo gané, sí —repuso Seleno, emocionado, a punto de echarse a los pies de su dama—. Pero eso fue lo que trajo mi desgracia, porque desde entonces ya no te volví a ver. La envidia me atacó y me confinó en las cocinas, de las que me escapé para traer a la corte al caballero bermejo, que es éste que duerme aquí, después de haber vencido milagrosamente a uno de los hombres de Morgana, que no era un hombre sino un mozalbete.

—¡Ay, Seleno! —rió Bess—, no entiendo nada de lo que dices, pero no importa. Así que éste es mi caballero —dijo, mirando al pobre caballero transparente, que abrió los ojos y vio a Bess y creyó que soñaba—, parece muy débil...

—Lo está —dijo Estragón a Bess—. Seleno ya te contará las aventuras del caballero bermejo, pero ahora tenéis que salir muy aprisa y alejaros de aquí, sin decir a nadie quiénes sois, porque de lo contrario Morgana se vengaría.

De manera que Seleno cargó con el cuerpo exangüe del caballero bermejo y siguió, al lado de Bess, las indicaciones de Estragón. En seguida estuvieron en medio del bosque y, sin concederse descanso, echaron a andar. Seleno le fue contando a Bess las aventuras del caballero bermejo y las suyas propias, y Bess lo celebraba todo con gran alegría. Luego, mientras seguían caminando, la doncella de la alegría perpetua fue componiendo un romance con todas esas aventuras. Se hizo la noche, buscaron un refugio, encendieron una fogata y todos durmieron, no sin que antes Bess y Seleno cantaran a dúo innumerables romances.

XII

El caballero dorado y las damas solícitas

❦ EL CABALLERO DORADO
Y LAS DAMAS SOLÍCITAS ❧

El caballero dorado se creía el mejor de todos, un hombre superior, y, cuando tuvo noticias del torneo de las siete doncellas desdichadas, no dudó en escoger a Delia, la doncella más orgullosa, de quien se decía que era también la más bella, la única dama en el mundo merecedora de que el caballero dorado pusiera todo su empeño en conseguirla. Porque el caballero dorado no dudaba de que se casaría con ella, desde luego. Su lucha tenía que ser coronada con los esponsales.

De manera que el caballero dorado se encaminó hacia Camelot, llegó, luchó y venció. Y, después de celebrar muy festivamente el triunfo, dejó la ciudad real y tomó la dirección de La Beale Regard. Cayó la noche y pensó en buscar refugio en algún castillo. Vio a lo lejos unas luces y se dejó guiar por ellas, persuadido de que eran las luces de un castillo importante. Y así era.

Este castillo pertenecía a una dama solitaria, de nombre Venissa, y todo el que entraba en él cambiaba su destino, pero el caballero dorado no lo sabía, y si lo hubiera sabido no habría hecho ningún caso, porque su conciencia de superioridad le hacía acometer las aventuras más arriesgadas y temerarias.

Venissa, fiel a su costumbre, recibió al caballero dorado con mucho boato y alegría, pues en su condición de dama solitaria se llenaba de contento cuando algún caballero andante pasaba por allí, y procuraba retenerlo un rato. Venissa, ésa era la verdad, trataba a los caballeros andantes a cuerpo de rey, a sabiendas de que era muy raro que volviera a verlos, pero sin renunciar jamás a la esperanza de que alguno de los caballeros se enamorara de ella, que era la única condición para que se rompiera el encantamiento de que estaba presa. Un hada maligna, de nombre Gror, que había sido ofendida —se decía que rechazada— por el padre de Venissa, la había condenado a la soledad aunque había dejado una puerta abierta, porque a Gror, como a muchas hadas malignas, le gustaba jugar con el destino. Sí, cabía esa posibilidad, aunque muy rara: la de que un caballero se enamorara de ella. Y Venissa vivía con esa esperanza.

Venissa agasajó al caballero dorado, le dio de comer y de beber, y, antes de nada, envió a unas doncellas para que lo bañaran y perfumaran, lo cual le pareció al caballero perfectamente natural, tan convencido estaba de sus méritos y buenos atributos.

Acabada la cena, Venissa invitó al caballero dorado a compartir el lecho con ella, y el caballero pensó que eso era sin duda lo establecido y que no había por qué negarse, puesto que aquélla era una dama solitaria, extremadamente bella y dueña de aquel magnífico castillo y de las tierras circundantes, que eran muy hermosas, ricas y apacibles.

Así, el caballero dorado compartió el lecho aquella noche con Venissa y lo cierto fue que en ningún momento de la larga noche se le pasó por la cabeza la menor sombra de arrepentimiento y aquélla fue una de las mejores noches de su vida, si no la mejor. Algo sucedió entre Venissa y el caballero dorado y, aunque el caballero dorado no se enamoró de la dama solitaria y el hechizo, por tanto, no fue roto, la unión dio sus frutos, como luego se supo, y la dama concibió en su seno una criatura.

El caballero dorado abandonó el castillo de Venissa con el ánimo más bien ligero y desenfadado, más seguro que nunca de sus encantos y méritos, que habían causado tanto efecto en la dama solitaria. Y así anduvo cabalgando hasta que volvió a caer la noche y se dejó guiar por otras luces lejanas, con la esperanza de que se tratara de otro castillo en el que encontrar acomodo.

Y, en efecto, las luces lejanas eran las de un castillo, y este castillo pertenecía a un rey, llamado Agrestes, que en aquel momento se encontraba, precisamente, en Camelot, pues era muy aficionado a los torneos y no había querido perderse el de las doncellas desdichadas. Este rey tenía una mujer muy joven y bella, que se llamaba Camelia, a quien el rey, su esposo, no había querido llevar consigo a la corte del rey Arturo, pues era muy celoso, y no quería mostrarla a nadie. Camelia, además de ser joven y bella, tenía un carácter díscolo y caprichoso. Verse privada de una de las diversiones favoritas del reino y de todas las fiestas y boatos de las grandes justas le pareció la mayor injusticia que se podía sufrir, y en cuanto tuvo noticias de que había llegado al castillo un apuesto caballero, cubierto de oro de la cabeza a los pies, determinó recibirle con toda pompa y pasar con él una velada feliz. Envió a sus mejores doncellas para servir al caballero, para que lo bañaran y vistieran y perfumaran, y ella misma se bañó y se cubrió con sus más delicadas galas y perfumes. Mientras lo hacía, iba recibiendo noticias del caballero, pues las doncellas que lo servían estaban muy impresionadas de su hermosura y encanto, y mandaron emisarias para que su señora la reina lo supiera, y Camelia se fue diciendo a sí misma que, después de todo, aquella noche podía acabar siendo una noche estupenda, mejor quizá que una noche en Camelot en una fiesta esplendorosa, sí, pero junto al rey, su marido, que era mucho mayor que ella y que le aburría soberanamente.

Cuando Camelia hizo su aparición en la sala en la que le esperaba el caballero dorado, éste enmudeció, pues jamás había visto a una dama tan hermosa y tan ricamente vestida y enjoyada y, aún con el recuerdo de los placeres de la noche anterior, se dijo que no había vida comparable a la de los caballeros andantes, y que bien merecía la pena pasar penalidades en los largos trayectos recorridos mientras hubiera damas tan hermosas, generosas y hospitalarias en los castillos iluminados de las noches.

Y si el caballero dorado había quedado impresionado con la belleza de Camelia, no puede decirse que el asombro y complacencia de la reina fueran menores cuando sus ojos se posaron sobre el caballero dorado. Y no volvió a pensar en los torneos y las fiestas de Camelot, y no pensó en realidad en nada de nada, sino que se dedicó en cuerpo y alma a atender y seducir al caballero. Tarea fácil, por lo demás, si no facilísima, ya que el caballero dorado no deseaba otra cosa que ser seducido por la hermosa reina.

La noche, en fin, fue pródiga en placeres, de manera que el caballero descansó por la mañana y abandonó el castillo al mediodía, cada vez más convencido de su buena estrella. Y no le extrañó nada que, al caer la noche, surgiera ante él una torre toda iluminada, a una de cuyas ventanas estaba asomada una doncella que cantaba maravillosamente bien.

El caballero se detuvo para escuchar la canción, aunque no podía verle el rostro a la dama, pues la luna estaba por detrás de la torre y tampoco las luces de la torre caían sobre el rostro de la dama. Cuando la doncella se calló, dijo el caballero:

—¡Qué hermosa canción y qué hermosa voz! No sé qué dama ni qué reina eres, ni si eres bella o espantosa, pero puedo asegurar que jamás escuché una voz tan hermosa.

—Muchas gracias, caballero —dijo la joven dama—, te agradezco lo que has dicho de mi voz y de la canción, pero quiero decirte que no soy en absoluto espantosa sino bastante bien parecida, y quizá por eso estoy confinada en esta torre, porque mi padre, que estaba viudo, se volvió a casar, y mi madrastra tiene unos celos terribles de mí, ya que desde que mi madre murió he sido la niña de los ojos de mi padre.

—He oído hablar de casos parecidos al tuyo —dijo el caballero, pensativo—. Las madrastras no soportan a los hijos habidos de la unión del esposo con la primera mujer, sobre todo si se trata de hijas, porque los padres viudos se apegan mucho a las niñas, que le recuerdan a la madre, y llegan a amarlas casi en exceso.

—Eso me ocurrió a mí, buen caballero, y así he pasado de disfrutar de todo tipo de comodidades, lujos y placeres, a esta vida espartana en la que cantar es la única de mis distracciones. Pero no me quejo, porque aún vivo, y recibo de vez en cuando la visita de algunos caballeros andantes que pasan por aquí y se quedan durante la noche, lo que me causa un gran consuelo, y si tú eres, como creo, uno de ésos, ten por seguro que ya tienes, por lo menos, un techo donde pasar la noche.

Dicho lo cual, la dama dejó caer una escala de cuerda e invitó al caballero dorado a trepar por ella. El caballero dorado, para escalar con más facilidad, se quitó la armadura y subió hasta la ventana donde estaba asomada la joven. Allí, los dos se miraron y se maravillaron mutuamente de su hermosura. Y la noche fue larga y feliz.

Describir una por una todas las noches del largo viaje del caballero dorado hasta el castillo de La Beale

Regard sería tarea tan imposible como tediosa. Una noche se sucedía a otra, mientras los días prácticamente se perdían, porque el caballero dorado necesitaba descansar y cada vez hacía recorridos más cortos. Jamás hubiera imaginado que hubiese tanto castillo y tanta dama necesitada de compañía y placeres. Perdió la cuenta de los castillos que le habían servido de albergue, de las damas y reinas solícitas que le habían acogido en su lecho, de los días, de las noches, del transcurrir del tiempo. Ya creía, si es que se ponía a reflexionar, que ese trayecto nunca acabaría, y durante mucho tiempo —los primeros años, quizá— le pareció bien, pero luego tenía accesos de melancolía, como si ese girar continuo de la rueda pudiera aplastarlo, sin darle la oportunidad de ser él quien la empujara.

Se quedó muy sorprendido cuando, al cabo de muchos años, de muchos valles, colinas, lagos, ríos y hasta mares atravesados, divisó un castillo a lo lejos, y un leñador que andaba por ahí le dijo que ése era el castillo de La Beale Regard, habitado desde hacía años por Morgana, quien se lo había tomado a la fuerza a una prima suya.

—Yo ya creía que ese castillo no existía, que era una invención —dijo el caballero, repentinamente vencido por una gran fatiga—. He entrado en tantos castillos... —musitó, dejándose caer al suelo.

Y allí mismo se quedó dormido, a la intemperie, por primera vez en todo su largo viaje. Aquella noche, la primera que dormía solo desde que había salido victorioso en el torneo de Camelot y se había comprometido al rescate de la doncella más orgullosa, tuvo muchos sueños, extraños, interminables, complicados. Al amanecer, abrió los ojos y ya no sabía distinguir sus recuerdos de todos aquellos sueños que aún le llenaban, confundiéndole. Sólo había algo que sentía con cierta claridad: que ya no podía acometer el rescate de la doncella más orgullosa, porque, a lo largo del viaje, se había convertido en un caballero sin orgullo, un caballero mil veces seducido, y ya no era digno de ella. En su interior, sólo veía un cansancio y un desengaño infinitos.

XIII

INTERVENCIÓN DE NIMUÉ

❦ Intervención de Nimué ❧

Después de que el caballero bermejo, con la ines-
timable ayuda de Seleno, el guardián, consiguiera el rescate de Bess, la doncella de la alegría perpetua, Morgana se dijo que era ya inútil luchar
contra Merlín, puesto que veía la mano del mago en todos los rescates. Tenía que cambiar de táctica. Estaba
claro que Merlín aún la aventajaba, por muy debilitados
que estuvieran, según se decía, sus poderes, y que los
encantamientos a que eran sometidos los caballeros,
tarde o temprano, eran rotos y luego los caballeros ven-
cían siempre a sus oponentes y se llevaban con ellos a la
doncella en cuestión. Ni un encantamiento más, se plan-
teó Morgana. Porque así eran las reglas de los encantamientos: no había hechizo que no se pudiera deshacer.

Había que pensar en otra cosa, algo mucho más seguro y duradero, algo que calara en el espíritu de los caballeros y los desbaratara e hiciera que luego renuncia-

sen a sus planes. El caballero dorado, recién obtenida la victoria, ya se había puesto en camino, y Morgana, con sus extraordinarias capacidades, lo observaba, preguntándose por el modo de vencerlo y apartarlo de su meta.

«Esta vez voy a ir más despacio —se dijo—, voy a seguir al caballero hasta conocerlo un poco, a ver si encuentro alguna clave en la que apoyarme para idear un plan.»

Y eso fue lo que hizo, sólo seguirle y observarle. Así, vio cómo entró el caballero en el castillo de la dama solitaria y cómo fue agasajado por ella y lo dichoso que fue entonces el caballero. Vio también que el caballero abandonó el castillo de la dama solitaria a media mañana, por lo que ese día el trayecto hacia La Beale Regard fue más corto que el día anterior. Pero Morgana pensó que aún había que observarle más. Vio entonces cómo esa noche entró el caballero en el castillo del rey Agrestes, que estaba ausente, y cómo fue recibido por la joven reina Camelia. El caballero abandonó ese castillo a primeras horas de la tarde. Y Morgana comprendió que aún debía observarle más. De manera que esa noche vio cómo ascendía el caballero por una escala de cuerda hasta la habitación de la torre donde estaba confinada la hija del rey Folio, y vio que pasó la noche con él, y que descendió, por la misma escala de cuerda, casi al anochecer del día siguiente. Y Morgana se dijo que ya había visto bastante.

Sólo había que llenar de castillos y de damas solícitas la ruta hacia La Beale Regard. El resto era cosa del caballero. «Ahora sé —se dijo Morgana— que estoy actuando sobre seguro, porque mi plan se basa en las cualidades del caballero, de manera que no puede fallar ni puede enmendarse.»

Cuando, al cabo del tiempo, vio al caballero desanimado y agotado, a las mismas puertas del castillo de La Beale Regard, renunciando ya al rescate de la doncella más orgullosa, Morgana creyó que esta vez la victoria era suya y que todo el poder de Merlín no serviría de nada, porque no había encanto ni magia que vencer. El caballero se había destruido a sí mismo. Lo único que había hecho ella había sido facilitarle la tarea.

Merlín, desde luego, estaba al tanto de la suerte del caballero dorado, pero fue Nimué quien decidió tomar cartas en el asunto.

—Lo que ha hecho Morgana con el caballero dorado es una infamia —le dijo a Merlín—. El pobre caballero ya no tiene fuerzas ni ilusiones, todas las damas le parecen iguales, no distingue ya entre un lecho y otro, entre un castillo y otro... Que le haya tenido que pasar esto precisamente al caballero encargado del rescate de la orgullosa Delia, a quien conozco bien, ya es una buena ironía del destino, y yo no lo lamento del todo. Pero no es conveniente que Morgana se salga con la suya. Creo, Merlín, que debes intervenir y, si es preciso, recurrir a un encantamiento. ¿No me habías hablado alguna vez de una pócima que tenía el poder de borrar toda memoria del alma de quien la ingiriese? Mira si eres capaz de recordar los ingredientes y proporciones de la fórmula, que yo me encargaré luego de dársela a beber al caballero dorado.

Y tanto insistió Nimué que finalmente Merlín accedió, y le fue dictando a Nimué los ingredientes y proporciones de la fórmula, y salieron los dos al bosque en busca de lo que necesitaban. Hicieron después en el laboratorio muchas pruebas y, al cabo, Merlín parecía bastante satisfecho, aunque sólo podía saberse si servía bien a sus propósitos cuando alguien la probara, pero Merlín se negó a dársela a nadie, a no ser al caballero dorado, cuya cabeza estaba llena de un espantoso caos de noches, castillos y damas solícitas, y le hizo prometer a Nimué que sólo él tomaría la pócima, porque no convenía jugar con los asuntos de la memoria ni hacer experimentos arriesgados.

Nimué lo prometió y salió a la búsqueda del caballero dorado, que seguía, confuso y desanimado, a la intemperie, a unos pasos del castillo de La Beale Regard. Cuando vio ante sí a la bella Nimué, le dijo:

—Dime, encantadora dama, si eres dueña de un castillo y si estás sola y desvalida. Con todo dolor, debo decirte que, si es así, yo no puedo ayudarte ni procurarte ninguna compañía ni placer alguno, y créeme que son muchas las damas solitarias que han recibido mi consuelo y creo yo que ellas hablarán bien de mí, pues con muchas lágrimas me despidieron, pero se me han acabado las fuerzas. La cabeza me arde y ya no estoy para nadie. Yo había tomado sobre mí la empresa de rescatar a la doncella más orgullosa, que está presa en el castillo de Morgana, pero estoy desfallecido y completamente desanimado.

Nimué se inclinó hacia al caballero y lo miró atentamente, y vio que aún era apuesto y tenía muchos encantos.

—No soy dueña de ningún castillo, caballero —respondió—, pero tengo algo que creo vale mucho más para ti que todos los castillos del mundo, de los que estás, como acabas de decirme, hastiado. Deja que te ayude a desembarazarte de la armadura y que te lave bien y te dé luego algo de beber que te hará dormir y recuperar las fuerzas y mañana hablaremos de ese rescate, si aún lo recuerdas.

El caballero dorado se abandonó, aliviado, a los cuidados de Nimué, se dejó quitar la armadura, lavar y perfumar y tomó luego la pócima mágica e, inmediatamente, se quedó dormido.

Nimué, mientras velaba el sueño del caballero, se preguntaba cómo saldría la prueba. Había seguido punto por punto todas las indicaciones de Merlín, y le había dado una pequeña cantidad de la pócima, mezclada, además, con otras yerbas, para que sólo desaparecieran de la memoria del caballero los días inacabables, llenos de aventuras, del trayecto hacia La Beale Regard, pero eso era muy difícil de lograr, había prevenido Merlín, y bien podía suceder que el caballero dorado se quedara convertido en un hombre vacío, totalmente desmemoriado, un caballero que podía hacer pareja, más que con la orgullosa Delia, con Findia, la doncella que no tenía memoria.

Pasó la noche, y el caballero dorado se despertó.

—¿Quién eres tú que duermes a mi lado? —le preguntó a Nimué, muy sorprendido.

—No duermo —repuso Nimué—, sólo descanso. Me he pasado la noche velando tu sueño.

—Pues te lo agradezco mucho —dijo el caballero, incorporándose—, pero no sé por qué lo has hecho y debo decirte que no puedo pagarte, pues estoy comprometido en una empresa muy importante. Mi dama, la orgullosa y bellísima Delia, está aguardando mi llegada al castillo de Morgana, y yo soy el caballero que ha jurado rescatarla.

—Déjame acompañarte —dijo Nimué, muy satisfecha del excelente resultado de la prueba—. Tengo mucha curiosidad por conocer el castillo de Morgana. Me voy a disfrazar de mozo y me puedes presentar como tu escudero. Es lo único que te pido.

El caballero dorado accedió y luego se dejó ayudar por Nimué que, en su disfraz de escudero, parecía el más atento y servicial que hubiera tenido nunca caballero alguno. Y el caballero dorado, que había recobrado su natural orgulloso y altanero, no se extrañó de ser tratado con tanta deferencia y cuidado. Y así, caballero y escudero, se encaminaron hacia la puerta del castillo.

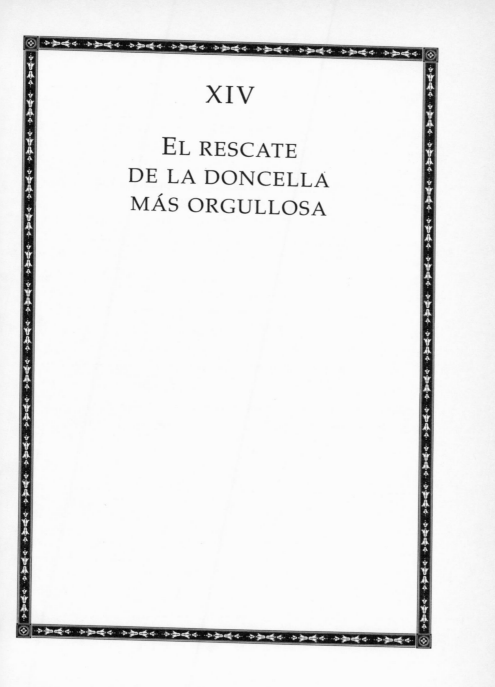

XIV

EL RESCATE DE LA DONCELLA MÁS ORGULLOSA

EL RESCATE DE LA DONCELLA MÁS ORGULLOSA

El caballero dorado mandó a su escudero que hiciera sonar el cuerno que colgaba ante la puerta del castillo e, inmediatamente, una voz muy poderosa, que no se sabía de dónde salía, preguntó por la demanda del caballero, a lo cual éste repuso con toda solemnidad:

—Vengo a luchar por mi dama, la orgullosa Delia, y os conviene abrirme, de lo contrario no respondo de mis actos, y juro por Dios que mataré a todos los habitantes de este castillo, sean tantos como fueren, aunque ahora no puedo saber nada de eso, ni siquiera puedo ver tu rostro, voz que acabas de hablarme, lo cual ya denota bastante cobardía.

—Guarda tu petulancia para mejor ocasión —repuso la voz—, porque tengo órdenes de abrir esta puerta a todos los caballeros que vengan hasta aquí a luchar por su dama. Cuida tu lengua, caballero, que la dueña de este castillo no tiene de momento nada contra ti, pero podría tenerlo si te escuchara, y es mejor dejar las cosas como están.

Y con gran estruendo, las pesadas hojas de la puerta se abrieron, con lo que el caballero ya no dijo palabra, sino que, seguido de su escudero, entró en el castillo. Un hombre joven, más o menos vestido de paje, les condujo luego hasta una amplia estancia de la que partía una escalera hacia arriba y otra hacia abajo, y dijo al escudero que tomara la escalera que bajaba, por donde llegaría a las cocinas y otros lugares propios de los sirvientes, y pidió al caballero que tomara la escalera que subía, que conducía a los aposentos de Morgana, y que la esperara allí el tiempo que hiciera falta, porque Morgana estaba ocupada en otras cosas, pero que había mandado recado de que se reuniría con el caballero en cuanto acabara con ellas.

El caballero dorado subió las escaleras y se encontró luego con unas damas que cuidaron de él hasta que Morgana hizo su aparición. En ese momento, las damas se levantaron y se fueron, casi se diría que volaron. Morgana, después de saludar al caballero, le preguntó:

—¿Cómo a un caballero tan orgulloso como tú le ha llevado tanto tiempo, caballero dorado, llegar hasta aquí? Más aún, cuando quien te aguarda es una doncella que tiene fama de ser la más orgullosa del reino. La verdad es que no te has dado mucha prisa, ¿acaso has tenido muchas peripecias?

El caballero dorado, que había recuperado la arrogancia y que gracias a la pócima de Merlín no recordaba nada de lo sucedido en el camino, repuso con voz firme, casi irónica:

—Señora, no importa lo largo que sea el viaje si se alcanza al fin la meta.

Y por mucho que Morgana insistió, no sacó nada del caballero y se dijo para sus adentros que la magia de Merlín había aventajado a sus tretas. Abandonó la estancia y subió a la torre, pensativa.

«Este caballero dorado es un pobre idiota —se decía— y no voy a sacar nada de él, pero lo cierto es que, una vez que ha llegado hasta aquí, la liberación de Delia ya es cosa hecha.»

Y eso, en sí, no le preocupaba; lo que la desanimaba y humillaba era la derrota. Merlín, su viejo maestro, tenía más recursos que ella. Sin embargo, Morgana había avanzado mucho por su cuenta, y no se resignaba.

«Encontraré el modo de vencerte, viejo Merlín», se decía.

Recordó de pronto que le habían dicho que este caballero dorado había llegado al castillo acompañado de un escudero muy joven y muy hermoso y mandó que lo trajeran a su presencia.

Así, Nimué, disfrazada de escudero, conoció a Morgana. Las dos mujeres se miraron con curiosidad, una, Morgana, sin saber quién era la otra, pero llena de vagas sospechas.

—Dime, Eumín, ya que me han dicho que éste es tu nombre —empezó Morgana—, ¿llevas mucho tiempo al servicio del caballero dorado?

—No sé medir el tiempo, señora —repuso Eumín—, pero creo que no ha transcurrido mucho. Sí puedo decirte que es la primera vez que le acompaño en sus empresas y quizá por eso se ha hecho todo muy corto, pues desde mi más tierna infancia no he deseado otra cosa que deambular con los caballeros.

Nimué, mientras respondía a Morgana, la observaba llena de intriga. Morgana había recibido las enseñanzas de Merlín sin necesidad de dar nada a cambio. Por ser quien era, hermana del futuro rey, Merlín le había tratado de forma excepcional y única, sin ninguna cautela, y ahora era una de las mujeres más sabias del reino y, según se decía, la más egoísta y malévola.

—Señora —dijo entonces Eumín—, me siento muy honrado de poderte saludar, tu fama es inmensa, y jamás hubiera imaginado que iba a conocerte en persona.

Morgana sonrió.

—Eres un joven muy hermoso y delicado, Eumín —dijo—, y creo que el caballero dorado es muy afortunado por tenerte a su servicio, si bien me ha parecido que tu caballero es un poco desmemoriado y quizá sea, por tanto, desagradecido.

Ahora fue Nimué quien sonrió.

—Yo le sirvo de grado, señora —dijo—, y no espero ninguna recompensa, porque tengo de sobra con acompañarle en sus aventuras y conocer el mundo que mi caballero recorre.

—Muy discreto eres, y hasta ingenioso —dijo Morgana, atravesándolo con la mirada.

Y así se estuvieron un rato conversando, midiéndose mutuamente, admirándose la una a la otra, sospechando Morgana, Nimué sabiendo, las dos complacidas, llenas de curiosidad. Al fin, Morgana despidió al escudero, y se quedó pensando en cómo desentrañar y desbaratar el juego de Merlín.

La imagen de Accalon irrumpió de forma repentina en medio de esos pensamientos. «Todo esto ha sido por ti, Accalon», musitó Morgana, «y aún no sé si me amas. Nunca me había importado si los hombres me amaban o no, hasta que llegaste tú. ¡Qué tarde se aprende! ¡Qué tarde se ama!», suspiró. Y, en cierto modo, añoró el tiempo de la apacible convivencia con el rey Uriens, su marido. Poco había durado, porque en seguida Morgana se había prendado de jóvenes caballeros, aunque el amor nunca había alcanzado el centro de su corazón. No lo hubiera permitido, necesitaba todos los sentidos para sus tareas e investigaciones. Pero existieron unos días lejanos, cuando nació Uwain, el fruto de su unión con el rey Uriens. Ahora Uwain andaba lejos, sospechoso de tretas contra el rey Arturo. Pero en el recuerdo, los días de la infancia de Uwain le parecían a Morgana placenteros y tranquilos.

Se miró en el espejo y vio el tiempo reflejado en su rostro. «He sido muy hermosa —se dijo— pero ya no puedo competir con las jóvenes.» Se desnudó y se contempló. «Mi cuerpo es todavía bello y armonioso, y muchas jóvenes podrían envidiarlo», continuó diciéndose. Luego se probó vestidos, retocó su cara con polvos de muchas y delicadas tonalidades, se perfumó. Accalon volvía esa noche después de una larga ausencia y Morgana suspiraba por él.

Preparó el recibimiento con cuidado para que Accalon apreciara toda su entrega. Cuando Accalon llegó, lo dejó un rato solo, como sabía que a él le gustaba, y luego le envió a sus damas más cercanas, en quienes confiaba por entero, para que lo bañaran y perfumaran y lo condujeran después a la sala privada de Morgana. Cenaron y se amaron. Morgana le habló luego del caballero dorado y le pidió consejo a Accalon.

—Prométeme una cosa, Morgana —dijo Accalon—, haz que el caballero dorado se mida con aquel de tus caballeros que se ofrezca voluntariamente a sostener tu causa.

Morgana se lo prometió.

Después de la larga noche de amor, Morgana se sentía más alegre y despreocupada. Al mediodía se celebró la justa. Uno de los caballeros de Morgana, ya cubierto con la armadura, se ofreció al combate, y Morgana no tuvo más remedio que concederle el permiso, puesto que así se lo había prometido a Accalon. Pero en su corazón, de pronto, anidó el pájaro del miedo, pues sabía, como todos, que el caballero dorado saldría victorioso.

Así fue. El caballero de Morgana fue abatido y Morgana envió a su dama más íntima a que fuese corriendo a verle la cara al caballero derrotado. La dama se inclinó, despejó el rostro del caballero, miró a Morgana y negó con la cabeza. Morgana, a pesar de ser vencida de nuevo por Merlín, a pesar de la humillación de la derrota, sonrió con alivio, y una voz interior le dijo: «Esto era lo que buscaba tu amante, que acabaras por olvidar tu propia lucha, tu propia vanidad. Ahora sólo quieres que él viva y te ame, eso es lo único que te importa. De manera que todos te han vencido. Merlín, con sus artes, y Accalon, con el poder que tiene sobre ti».

Pero Morgana sonreía y buscaba con los ojos a Accalon por toda la sala. Cuando al fin lo vio, se estremeció, porque Accalon no sonreía. La miraba desde arriba, con arrogancia.

Llamó a Estragón y le pidió que hiciese lo de costumbre. Luego, Morgana se retiró y llamó a Accalon y ya no salieron de sus aposentos durante todo el día.

Por la noche, el caballero dorado, su escudero, y la orgullosa Delia, abandonaron el castillo de La Beale Regard por un pasadizo secreto, guiados por Estragón.

El caballero dorado se dijo que todo lo que se decía sobre el orgullo de Delia era en verdad muy poco, pues la doncella ni siquiera le había dado las gracias al caballero por el rescate. El caballero dorado, que aún no había recuperado la memoria, no sabía que Delia estaba enterada de que el camino hasta el castillo de La Beale Regard había sido muy largo y había estado todo jalonado de amores, y la humillación que eso le producía impedía a Delia pronunciar palabra alguna.

XV

LAS LLAMAS
DE TINTAGEL

❧ LAS LLAMAS
DE TINTAGEL ❦

Cuando el rey Arturo y Merlín llegaron al castillo de Tintagel, aún se respiraba el olor del fuego, aún flotaban en el aire, con los golpes del viento, las cenizas. Recorrieron las ruinas y se sentaron luego a la sombra de un roble.

—Estas ruinas de Tintagel —dijo Arturo— me parecen una premonición. En este castillo fui concebido, como bien sabes, Merlín, ya que tú lo planeaste todo. Pero esta desoladora visión no me causa demasiada tristeza, porque ya estoy muy cansado y quisiera retirarme. Mi reino me pesa, es ya como un castillo viejo, como era Tintagel hace sólo unos días. Nadie sabe lo que cuesta mantener en pie un castillo resquebrajado y sucio. Cuando príncipes y reyes de otros reinos vienen a visitarme, se admiran de la antigüedad y la tradición que palpan en los muros del viejo castillo de Camelot, y son casi unas ruinas como éstas de Tintagel —suspiró—. Dame a mí algo nuevo y reluciente, como el Santo Grial, ¿cómo no voy a entender a mis caballeros, desaparecidos todos en pos de esa demanda? Sin embargo, mi sino es quedarme entre las ruinas. Y, en cierto modo, mi hermana Morgana, mi enemiga, hace lo mismo que yo. Hace tiempo que su amistad se me escapó del corazón y no siento ninguna piedad hacia ella, pero la entiendo un poco, sólo trata de mantenerse, sólo lucha contra el paso del tiempo.

—Ya sólo quedan en las mazmorras de La Beale Regard tres doncellas —dijo Merlín—, las más desdichadas de todas, una pobre enajenada, una joven entregada al dolor y una mente desmemoriada. Los caballeros que tomaron sobre sí la suerte de estas doncellas, el caballero de plata, el caballero irisado y el caballero violeta, pronto llegarán a su destino. Me parece que Morgana ya ha sido derrotada y apenas habrá que ayudar a estos nuevos caballeros.

—No te fíes de Morgana —dijo Arturo—. Cuando más la temo es cuando parece vencida, cuando se siente acorralada. Así era de niña y así ha sido siempre. No descuides la suerte de esas tres doncellas que aún están en las mazmorras de su castillo. Y se me está ocurriendo una cosa, Merlín, una vez que nos hemos puesto en camino, ¿por qué no nos llegamos tú y yo hasta La Beale Regard y vemos con nuestros propios ojos esa derrota de Morgana que ya prevés? No tenemos nada que hacer, Merlín, prosigamos el viaje, ya sabemos lo que nos espera en nuestras casas, en mi castillo de Camelot y en tu guarida secreta; a mí, la soledad, a ti, esa joven que te está sacando las entrañas, no sé qué es peor...

Merlín accedió, y, después de descansar un rato, se pusieron en camino. Llevaban muchas horas andando, al fin silenciosos, cuando se encontraron, en el claro de un bosque, con la estatua de una mujer hermosísima, que parecía apresar un espíritu, tan llenos de expresión y vida estaban sus ojos y cada uno de sus rasgos.

—No sé a quién me recuerda esta mujer, Merlín, —dijo el rey Arturo, admirando la estatua—, pero sin duda éste es uno de los rostros más bellos que he visto nunca e imagino que su modelo en carne y hueso debe de ser una de las maravillas del universo y no me importaría nada contemplarlo.

Rodearon la estatua y vieron todos sus detalles, que habían sido cuidados al extremo. Entonces escucharon una voz.

—Soy Galinda, la pastora —dijo la voz—, y, por culpa de un maleficio, vivo dentro de esta bella estatua que tanto admiráis. Por aquí pasaron, antes que vosotros, tres caballeros, pero ninguno quiso ayudarme, porque todos tenían mucha prisa y corrían detrás de sus demandas. El primero se cubría con armadura de plata, el segundo, con una armadura muy brillante e irisada, el tercero iba todo conjugado en color violeta. Todos se pararon un momento y alabaron mi belleza, pero cuando les pedí que escucharan mi historia y trataran luego de remediar mi desgracia, me dijeron que no tenían tiempo para mí. Quizá vosotros, que parecéis caballeros más reposados, opinéis de otra manera.

—Cuéntanos tu historia, bella Galinda —dijo el rey Arturo—, que ya estoy deseando escucharla.

—Soy hija del pastor Galindo —empezó la estatua—, un hombre rico, dueño de trescientos rebaños, y desde niña fui educada para vivir en la corte del rey, de manera que me enseñaron todas las artes del entretenimiento, en las que soy sumamente hábil. Todos los que han escuchado mis canciones han quedado maravillados y más de un rico caballero ha pedido a mi padre mi mano, pero yo nunca he querido concedérsela a nadie y, cuando llegó la hora, tampoco quise ir a la corte del rey, porque lo que yo quiero es seguir con mi vida de pastora y disfrutar de todas mis habilidades de la forma que más me venga en gana. Y todo hubiera ido más o menos bien y yo creo que mi padre lo hubiera consentido, si no hubiese aparecido por aquí cierto caballero desengañado, cuyo nombre no diré, porque es muy famoso, que suele venir por estos bosques y prados a quejarse del amor de su dama, una señora muy principal. Me hice confidente de este caballero, escuché sus quejas y resolví dedicar mi vida a consolarle, porque me partía el corazón ver cómo un caballero tan apuesto y valeroso estaba destrozando la suya. Yo creo que el caballero, aunque no me llegó a amar, se encariñó conmigo y se acostumbró a mi presencia, de manera que cada vez pasaba más tiempo a mi lado y espaciaba las visitas a su dama, que empezó a reclamarlo con más frecuencia e intensidad que nunca. Y cuanto más veía el caballero a su dama, más trastornado se volvía, porque ese amor no convenía a nadie, y la misma dama pasaba muchos apuros y angustias para mantenerlo.

»Un día le hablé al caballero con toda seriedad, y le propuse que abandonáramos el reino y nos fuéramos a confines lejanísimos, donde él podría emprender muchas aventuras y dedicárselas a su dama, para que ella, entretanto, tuviera noticias suyas y le esperara, y quién sabe si al regreso los tiempos no fueran ya mejores para ellos. Yo me contentaba con acompañarle, porque me gusta la vida de los caballeros andantes y sentía una profunda compasión hacia él, quizá una forma de amor. El caso es que el caballero ya estaba convencido y preparado para el viaje y yo le estaba aguardando, cuando vino a mi cabaña una vieja mendiga y no sé con qué excusa me hizo tomar un bebedizo, tras lo cual me convertí en la estatua que ahora contempláis. Antes de marcharse, entre espasmos de risa malévola, dijo: «Ahí te quedas, pequeña entrometida. El loco y apasionado amor del caballero que proteges ha de seguir su curso, porque es parte de los grandes planes de destrucción del reino. ¿Quién eres tú, insignificante e indiscreta pastora, para osar cambiarlos». Y se alejó, dejándome desconcertada. Y petrificada, que eso fue lo peor.

La voz calló y los caballeros se quedaron muy pensativos y preocupados.

—Te he escuchado con la mayor atención —dijo el rey Arturo— y tu historia conmueve mis entrañas, pero dime de qué manera puede acabarse tu encantamiento y si tu caballero no ha vuelto por aquí y no ha intentado romperlo él mismo, porque me asombra que no esté tan agradecido como para abandonarte a tu triste suerte.

—Ese es el punto —dijo Galinda—. Sólo un caballero que no haya estado enamorado jamás puede desencantarme, porque sólo puede devolverme a la vida libre un beso de amor intacto y nuevo, y eso es algo que escapa a la voluntad de mi pobre caballero, que suspira más que nunca por su dama.

—Esa dama parece muy desenvuelta y egoísta y, en mi opinión, lo mejor que podría hacer sería retirarse del mundo, ya que tantos problemas ha causado —dijo el rey Arturo.

—No sé mucho de ella —repuso Galinda—, porque el caballero es muy discreto y a mí no me gustaría que se arrepintiera de haberse ido de la lengua conmigo, porque no hay cosa que emborrone tanto una amistad como creer que con ella se traiciona a otra. Pero de todos modos, sí sé que la dama sufre y que no es nada egoísta, y hasta me parece que está ya retirada del mundo; eso es lo que deduzco de las últimas quejas de mi caballero.

Llegada la noche, el rey Arturo y Merlín se adentraron un poco en el bosque en busca de un lugar donde descansar, y encontraron una cabaña.

—Mira, Merlín —dijo el rey Arturo al cabo de un rato—, todo lo que ha contado esta pastora encantada me ha impresionado mucho y creo que estamos obligados a ayudarla. Se me ha ocurrido que podrías disfrazarte de joven caballero o algo así y dar a Galinda ese primer beso de amor que es la clave de todo, porque es muy posible que en tu naturaleza disfrazada te enamores de ella y vuelvas luego a tu ser con toda tranquilidad y sin haber experimentado mudanza alguna.

Merlín se pasó la noche cavilando, y, al amanecer, mientras el rey Arturo dormía, se disfrazó de joven caballero y se acercó a la estatua de Galinda y la halló muy hermosa, de manera que el joven caballero sintió arder su corazón y besó a la estatua en los labios. Al momento, la estatua cobró vida y quiso abrazar a su salvador, pero el joven caballero, muy confuso, se fue corriendo, porque Merlín le había dado un plazo muy corto.

Vuelto Merlín a su ser, entró en la cabaña y despertó al rey Arturo y le dijo que Galinda era ya libre, lo que el rey Arturo en seguida pudo comprobar por sus propios ojos, pues nada más salir de la cabaña se encontraron los dos con Galinda, que daba grandes gritos.

—¿Dónde estás, caballero, salvador mío? —decía—. ¿Por qué te has ido tan deprisa?

Entonces dijo Merlín:

—No busques más a ese caballero, Galinda. No sé si sabes quién soy pero te lo voy decir. Soy Merlín el mago, y el consejo que te doy es que disfrutes de tu libertad y no indagues más, porque el amor que has sentido en tus labios era un soplo.

Galinda se quedó un momento callada y luego dijo:

—Es verdad que pareces muy sabio y algo me dice que debo seguir tu consejo. Ahora, si no os importa, me gustaría que me dejárais ir un rato en vuestra compañía, porque me he pasado mucho tiempo sola y tu conversación y la de tu compañero es muy agradable.

—No nos importa —dijo el rey Arturo—. Ven, Galinda, con nosotros todo el tiempo que quieras, porque tu compañía también resulta muy grata para nosotros.

Y, así, los tres se pusieron en camino hacia La Beale Regard.

XVI

LA CARTUJA DE LA REINA

❧ La cartuja de la reina ❧

Desde que la reina Ginebra, sobrepasada por el dolor que el amor imposible a Lanzarote le provocaba, se quiso retirar a la cartuja de Nuestra Señora de la Dulce Paciencia, pasaba temporadas de gran misticismo, que se combinaban con temporadas de terribles dolores físicos.

Las monjas estaban muy conmovidas por su sufrimiento y se turnaban para estar a su lado y no dejarla nunca sola, porque sabían que la soledad agudiza los males del corazón, donde residía la causa de la enfermedad de Ginebra.

Las monjas más jóvenes sentían verdadera fascinación por la reina, y la tenían por modelo de belleza, y en el fondo sufrían más que ella por aquel amor contrariado que se había apoderado de Ginebra y pedían a Nuestra Señora de la Dulce Paciencia que resolviera el asunto y le diera a la joven y bellísima reina alguna satisfacción. Más de una de estas monjas jóvenes hacía sacrificios y penitencias especiales encaminados a conseguir la felicidad de Ginebra, y más de una se decía en su fuero interno que la reina no se merecía aquel amor atormentado, sino el gozo más pleno y sublime. Y rogaban también por Lanzarote del Lago, de quien sin saberlo estaban enamoradas, puesto que era dueño del corazón de Ginebra —que tanto y tan profundamente les conmovía— y que se había puesto a los pies de la reina, renunciando a verla, si fuera preciso, para aliviar su dolor. Y lloraban y se lamentaban por la desgracia del rey Arturo, a quien Ginebra no había dejado de amar, pero a quien ya no podía mirar directamente a los ojos, porque la sombra de Lanzarote del Lago se interponía siempre entre ellos, se proyectaba sobre todas las cosas que Ginebra miraba, hasta el punto de resultar obsesiva y dañina.

Algunas veces, sor Filomena, la cartuja mayor, que había sido dama de alta alcurnia y conocía bien la vida de la corte, se decía que no había sido buena idea acoger en sus claustros a la reina Ginebra, porque con ella habían entrado en la cartuja emociones del mundo exterior y esa corriente de aire perfumado y frívolo podía tener consecuencias funestas sobre la vida ascética y sencilla de las cartujas.

Y pensaba, sobre todo, en Marcolina, la novicia más joven, por quien sentía una gran simpatía y a quien veía cada vez más entregada al cuidado de la reina Ginebra. «Sería una pena —se decía sor Filomena— que finalmente Marcolina perdiera la vocación, pues su presencia en la cartuja me es muy grata y creo que Nuestra Señora de la Dulce Paciencia es la orden más adecuada para ella, pero hay que confiar en los designios divinos y si ha de dejar la orden aún está a tiempo, porque una vez que haya hecho los votos ya no hay remedio, y ese destino amargo no se lo deseo a la inocente Marcolina, que ya conozco a más de una monja malhumorada que hubiera debido no hacer los votos. Quizá Dios haya traído aquí a la reina con el objeto de poner a prueba a Marcolina, pues los designios divinos son inescrutables.»

Verdaderamente, la joven Marcolina no se separaba de la reina Ginebra, y, como todas las cartujas, incluida sor Filomena, sentían verdadera devoción por la reina y no querían sino complacerla, dejaban a Marcolina en plena libertad, conscientes de que la reina la necesitaba, pues no había en la cartuja una novicia más inocente y alegre que Marcolina.

Después de una larga noche que la reina había pasado entre delirios y fiebres altísimas, cerca del amanecer, Ginebra ya calmada, Marcolina exhausta y desvelada, salió la novicia de la celda de la reina a respirar el aire puro de los inicios del día y echó a andar hacia el muro de piedra que cercaba el amplio jardín de la cartuja. Allí se apoyó contra el muro, se dejó caer sobre la hierba y se quedó dormida.

Cuando se despertó, el sol estaba en lo alto del cielo y por unos instantes Marcolina tuvo una aguda sensación de desconcierto, ¿qué jardín y qué muro eran esos?, ¿qué mediodía? Y vagamente recordó el caso de un fraile que se había quedado dormido y que, después de que el trino de un pájaro le despertara, tardó mucho tiempo en comprender que su sueño había durado años.

«¿Me habrá sucedido a mí algo parecido?», se preguntaba Marcolina, porque se sentía suspendida en el tiempo, sin relación con nada. Vio entonces a un pequeño gorrión posado en una rama y le pareció que era el único ser que tenía la respuesta, que lo conocía todo.

—Dime, gorrión —le preguntó, como si desde siempre hubiera hablado con los pájaros— ¿me has visto dormir?, ¿llevo aquí mucho tiempo?

—No —dijo el gorrión—, sólo has dormido unas horas, pero tu sueño ha sido muy profundo y por eso lo miras todo con tanta extrañeza, porque llevabas muchas noches sin dormir, pendiente de los suspiros de la reina. Este sueño profundo que has tenido ha sido una recompensa de la madrina de Ginebra, que te está muy agradecida porque si no fuera por ti la reina quizás habría muerto, pero tus cuidados la alivian mucho. Ahora Sigrid, la madrina de Ginebra, me ha mandado a mí para que te pida un favor. Mira, en el muro, justo detrás de tu cabeza, hay una piedra que no está unida a las otras. Es lo bastante grande como para que tú puedas deslizarte por el hueco que quedará cuando la quites. Ginebra le ha pedido a Sigrid que le conceda el don de ver a Lanzarote del Lago antes de morir, puesto que presiente que ya se aproxima velozmente su fin. La verdad es que nadie sabe dónde está Lanzarote del Lago, y aun se rumorea que ha perdido la razón. Yo te acompañaré en la búsqueda, que debemos emprender ahora mismo, si es que te prestas a hacer este favor a la reina.

—Por la reina Ginebra daría yo la vida —dijo Marcolina con vehemencia—. Bien sé lo que sufre por la ausencia de Lanzarote del Lago y comprendo que quiera verle y hablar con él, de manera que no perdamos más tiempo.

Dicho lo cual, Marcolina se dio la vuelta, buscó la piedra movediza en el muro, la apartó y se coló por el hueco. El gorrión la seguía y se posaba en su hombro de vez en cuando.

—Dicen —comentó el gorrión— que la pastora Galinda quería mucho a Lanzarote del Lago y que una bruja la convirtió en estatua para que no pudiera ayudarlo, y también dicen que ya ha sido desencantada, y quizá lo mejor de todo fuera que diéramos con esa Galinda y que ella nos orientara, porque conocía muy bien al caballero y seguramente sabrá dónde se esconde.

Y Marcolina echó a andar con la idea de ir preguntando por la pastora Galinda a todo el que se cruzara en su camino. Y así, siguiendo una dirección, retrocediendo, tomando luego otra y luego otra distinta, Marcolina pasó muchos días con sus noches, y un atardecer divisó al fin un pequeño grupo que descansaba alrededor de una hoguera en un declive del valle, junto a un río.

«Esa maravillosa joven que veo desde aquí —se dijo Marcolina— debe ser la pastora Galinda. La acompañan dos ancianos, lo cual confirma mi presentimiento, puesto que dicen que viaja con dos hombres de pelo blanco.»

Marcolina se acercó al grupo y preguntó por Galinda, quien quiso saber quién era Marcolina y lo que deseaba de ella.

—Soy Marcolina —repuso la novicia—, y vengo de la cartuja de Nuestra Señora de la Dulce Paciencia, donde la reina Ginebra pasa los últimos días. Pero antes de entregar al Altísimo su alma, quiere ver por última vez al caballero que le ha causado tanto dolor, seguramente para perdonarle y encomendarlo a Dios, y según dicen sólo la pastora Galinda conoce el paradero del caballero, de manera que si tú eres esa Galinda, y no tienes ya el corazón de piedra —porque lo has tenido hasta hace bien poco, ya que fuiste encantada—, te quedaría muy agradecida si pudieras conducirme hasta él para que luego yo le guíe hasta la cartuja.

Todos miraban a Marcolina con enorme atención. Al fin, el rey Arturo dijo:

—Siéntate con nosotros, bella y diligente Marcolina, y déjanos pensar un momento. Debes de querer mucho a la reina cuando has dejado la cartuja y te has expuesto a los peligros de los caminos en busca de ese caballero. Mira, yo soy Zedón, el médico, y aquí está Fakir, mi colega, porque nos dirigimos los dos a una reunión de médicos. Mucho me gustaría ver a la reina Ginebra porque creo que podría tener algún remedio para ella y apartarla de la senda que desemboca en la muerte. Id Galinda y tú en busca del caballero desaparecido mientras Fakir y yo nos acercamos a la cartuja donde está la reina y vemos, entre tanto, de aplicarle nuestros remedios, si es que tú, Fakir, quieres venir conmigo y desviarte un poco de nuestra meta.

Merlín asintió, cabizbajo y silencioso. Galinda advirtió que sus acompañantes no querían revelar su identidad a Marcolina, y nada dijo, porque siempre había sido muy discreta y el tiempo que había pasado convertida en estatua le había enseñado a serlo aún más. Ignoraba quién era el hombre que viajaba en compañía del mago Merlín, pero parecía tener mucha autoridad y hablaba siempre con muy buenas razones. De manera que se sumó de buen grado a Marcolina en la búsqueda de Lanzarote del Lago, si bien dijo que de momento no tenía la más remota idea de dónde pudiera encontrarse el caballero.

Pasaron la noche y al amanecer se separaron. Galinda y Marcolina se dirigieron hacia el sur y el rey Arturo y Merlín tomaron el camino de la cartuja de Nuestra Señora de la Dulce Paciencia.

—Cuando salimos de Camelot hacia Tintagel —le dijo el rey Arturo a Merlín—, cuando dejamos Tintagel y nos encaminamos hacia La Beale Regard, sabía todo el tiempo que era a la cartuja adonde quería ir. Las palabras de la pastora Galinda, antes y después de ser estatua, me tocaron el corazón. ¡Pobre Ginebra! La amo ahora, Merlín, mucho más de lo que la he amado nunca y haré lo que sea para aliviar su sufrimiento. No soporto su dolor. Ahora veo que tengo que sacarla de la cartuja y llevármela a Camelot, que es su casa, y que mi destino es hacerla feliz, porque ya no me importan los asuntos del reino ni los de la Tabla Redonda.

Se desencadenó entonces una gran tormenta, pero no por eso el rey Arturo y Merlín interrumpieron su viaje. Llegaron a la cartuja al anochecer, empapados y ateridos de frío, bajo el estruendo de los truenos y el brillo azulado y fugaz de los relámpagos. Llamaron a la puerta y la monja portera les confundió con mendigos en busca de cobijo. Abrió la puerta y los condujo a la cocina. Allí, el rey Arturo se dio a conocer, porque ya no quería perder ni un solo minuto e intuía que la reina Ginebra estaba despierta. Inmediatamente vino la cartuja mayor, sor Filomena, y se echó a los pies del rey, pero Arturo le hizo levantarse en seguida.

—En tus manos dejé a la reina hace más de un año y de tus manos la vengo a recoger esta noche de tormenta —dijo el rey.

Y pidió que enviaran mensajeros a Camelot para que saliera en seguida un séquito adecuado con el que acompañar a la reina, en las mejores condiciones, de regreso a Camelot. Luego pidió que lo condujeran a la celda de la reina, porque quería permanecer con ella hasta la partida.

Y todo se hizo según la voluntad del rey.

Pero Merlín se les despistó a todos, y cuando el séquito real salió de la cartuja de Nuestra Señora de la Dulce Paciencia en dirección al castillo de Camelot, llevando en el centro, en magnífica carroza, a la reina al fin dormida, nadie, ni el mismo rey Arturo, reparó en que Merlín no se encontraba presente, y es que, acuciado por el deseo de reunirse con Nimué y regresar a su vida contemplativa, el mago Merlín, después de descansar un rato en la celda de la cartuja, salió, antes del amanecer, aún bajo el estruendo y el peligroso fulgor de la tormenta, hacia su guarida secreta que, según se decía, estaba más allá de las Marcas del Sur.

XVII

El caballero de plata y la aldea de los niños salvajes

❦ El caballero de plata y la aldea de los niños salvajes ❧

El caballero de plata había salido vencedor en el torneo que se celebró para obtener la suerte de Findia, la doncella desmemoriada, pero el caballero de plata, que era uno de los caballeros más hermosos y apuestos, se sintió, una vez ganado el torneo, algo abatido y desorientado porque, a la vez, se distinguía este caballero por su estados de decaimiento, que le acometían de repente, sin poderse saber nunca la razón.

Pero en esta ocasión el caballero de plata sí barruntaba la causa de su desaliento; tener en las manos el destino de una doncella desmemoriada no era, a su parecer, una buena razón para levantar el ánimo.

El caballero de plata se había enterado un poco tarde del torneo, porque, precisamente, cuando había sido hecho público, él pasaba por una de sus épocas tristes y apenas salía del cuarto. Había sido su madre, una dama muy sabia y principal, quien, al fin, le había informado del torneo y animado a participar en él, con el objeto de que el caballero hiciera algo y esa época triste acabara.

Salió entonces el caballero de plata hacia Camelot, medio empujado por su madre, y allí supo que sólo faltaba decidir la suerte de tres doncellas. Escogió a la doncella desmemoriada, porque en aquel momento lo que él deseaba era olvidarse de sí mismo y el olvido más le parecía un bien que un mal. Sin embargo, ganada la justa, el caballero de plata se preguntaba qué cabía esperar de una doncella que no tenía memoria, porque una cosa, se decía, era poder olvidar algo desagradable y dañino, y otra muy distinta era olvidarlo todo, como parecía le ocurría a su doncella.

La victoria, al principio, había barrido sus males y su melancolía, pero, ya de camino hacia el castillo de La Beale Regard, volvió a sentir un acceso de desánimo, y sólo sus principios de caballero le sostuvieron y le impidieron abandonar la demanda.

Con respecto a la liberación de la doncella desmemoriada, Morgana, habida cuenta del fracaso de los anteriores empeños, había decidido no intervenir y dejar que las cosas fueran a su aire, confiando en los naturales obstáculos que surgen aquí y allá en este tipo de empresas. A primera vista, el caballero de plata parecía bastante frágil y delicado y ya de por sí parecía difícil que llegara hasta La Beale Regard, más aún cuando la última epidemia de peste había dejado los caminos muy solitarios y peligrosos, y la única ley que en ellos regía era la del asalto, el robo y el crimen.

Cayó la noche sobre el caballero de plata y su cabeza se llenó de los más negros pensamientos. Detuvo el caballo, descendió y se quitó la armadura. Las piernas no le sostenían, el cuerpo entero le dolía por el esfuerzo del torneo. Se acostó sobre la hojarasca y llamó al sueño. Fue una noche larga, con desvelos y pesadillas. El caballero creía oír extraños ruidos a su alrededor, voces confusas, deformadas, e incluso le parecía respirar olores de azufre, infernales. Pero el amanecer le trajo un sueño profundo y apacible.

Al despertar, sintió sobre sí, clavadas, una multitud de miradas. Detrás de un arbusto, percibió un movimiento. Al fin, unas extrañas criaturas salieron de su escondite y se acercaron al caballero desarmado. Al caballero de plata le costó comprender que esas criaturas extrañas, de pequeño tamaño, sucias, desharrapadas, eran niños, ni más ni menos.

—¿Por qué me miráis así? —preguntó el caballero—, ¿es que nunca habéis visto a un hombre dormido?

Los niños se echaron a reír, como si las palabras del caballero de plata hubieran sido la cosa más graciosa del mundo. Al fin, uno de ellos habló:

—Hace tiempo que nadie viene por aquí, y mucho menos con todo eso que tú traes —añadió, señalando la armadura de plata que parecía un cuerpo vacío, desordenado, junto al del caballero—, ¿qué disfraz es ése?, ¿nos lo dejas probar?

El caballero de plata dejó que los niños se le acercaran y tocaran la armadura y que luego se la probaran. Entre tanto, les hizo preguntas sobre su vida y circunstancias, y así supo que esa región había quedado aislada de las otras, y que todos los caminantes la evitaban, porque allí la epidemia había sido muy cruel y terrible y de hecho sólo había sobrevivido un grupo de niños en estado casi salvaje. Eso dedujo el caballero.

Con todo, los niños le dijeron que si quería ir con ellos a la aldea ellos estarían encantados de guiarle, porque tenían de comer y de beber y también podía el caballero dormir bajo techado si lo quería, y calentarse frente a la chimenea, y, al fin, el caballero aceptó la invitación de los niños y, después de colocar la armadura sobre el caballo, se fue con ellos, que revoloteaban alrededor suyo y del caballo, riendo, gritando y bailando, entusiasmados con el hallazgo.

Lo cierto es que el caballero de plata se quedó asombrado de lo bien que se las había arreglado aquel puñado de niños salvajes, y comió y bebió de lo que le dieron y luego durmió frente a la chimenea en un salón bien amueblado y exento de corrientes.

Despertó un poco acalorado y entonces se dio cuenta del desorden y de la suciedad que imperaba en el cuarto y les preguntó a los niños —algunos de los cuales no se habían despegado de él y se habían echado en el suelo, entre las mantas, junto al caballero— si no se lavaban nunca y si no limpiaban ni ordenaban la casa. Por la expresión con que le miraron, el caballero comprendió que tales cosas no se les habían pasado por sus cabezas y decidió entonces que, si había cerca un río o un estanque, fueran todos a bañarse, pues no hacía mal tiempo, y a todos les sentaría muy bien.

Los niños que habían dormido con él y algunos otros que se encontraron por el camino, acompañaron al caballero hasta el remanso de un río cercano y cuando vieron que el caballero se despojaba de toda su ropa y, desnudo, entraba en el agua y les hacía gestos para que entraran ellos también, poco a poco le fueron imitando, muertos de risa, y al fin todos los niños se sumergieron en el remanso del río y salpicaron y jugaron con el agua, dando gritos de placer, que atrajeron a los niños que se habían quedado en la aldea y que no tardaron ni un segundo en tirar sus ropas al aire y unirse a los otros en el juego de los saltos y salpicones.

Se organizó allí tal jolgorio que los animales que merodeaban por los contornos también acudieron y se aprestaron a participar en él, y la fiesta duró todo el día. El caballero de plata no podía recordar que, desde los remotos días de su infancia, hubiera vivido una fiesta como aquélla. De regreso a la aldea, casi al filo de la noche, se sentía extenuado y feliz, y había desaparecido por completo el poso que habían ido dejando en él los estados de decaimiento que, desde que había entrado en la edad adulta —y casi inmediatamente había sido armado caballero— le habían acometido de forma periódica. Ni rastro de ese poso.

Por la mañana, los niños querían volver al remanso del río, pero el caballero, lleno de ímpetu educador, les dijo que era una vergüenza vivir como vivían y que, antes de que fueran de nuevo a bañarse, debían limpiar y ordenar la casa donde dormían apiñados y de cualquier manera.

—Hasta los animales viven mejor —dijo el caballero de plata.

En un par de días, el caballero era el jefe de la tribu. La casa quedó ordenada, se distribuyeron y racionalizaron las tareas, las calles también se limpiaron y despejaron un poco, y los niños cobraron una apariencia casi civilizada. Entre ellos, por cierto, había algunas niñas que cautivaron al caballero, quien las miraba embelesado, rememorando sus primeros amores infantiles.

Era el caballero de plata tan feliz al frente de aquel puñado de niños, que desde luego se olvidó por completo de su misión. Quizá esa fuera la ironía del destino: que el caballero debía llevar a cabo el rescate de Findia, la doncella desmemoriada, y él había perdido la memoria. Y eso no era obra de las malas artes de Morgana.

Pero en los sueños se filtran a veces los mensajes de la vida, y, así, el caballero de plata soñó una noche con el rescate de la doncella desmemoriada y al despertar reunió a la tribu y les comunicó a todos que debía partir, pues había asumido un compromiso y un caballero no podía eludir sus deberes. Sintieron todos una gran pena, y trataron de retener al caballero, alegando que su presencia también era necesaria para ellos, puesto que les había enseñado muchas cosas, y que aún era pronto para quedarse solos. Entonces el caballero de plata les dijo que permanecería entre ellos siete días más y que en esos días les enseñaría todo lo que aún no habían aprendido bien, y que los aprovecharan para hacerle todo tipo de consultas.

Transcurrieron los siete días, que fueron muy intensos, y el caballero de plata se despidió de los niños. Pero tres de ellos quisieron acompañarle, y, después de muchos ruegos, consiguieron su permiso. Así, el caballero de plata, seguido de Ninfo, Bato y Perla, emprendió de nuevo el camino hacia La Beale Regard.

XVIII

Conversaciones en la mazmorra del castillo de Morgana

CONVERSACIONES EN LA MAZMORRA DEL CASTILLO DE MORGANA

Una vez que la orgullosa Delia fue liberada, las tres doncellas que aún permanecían en las mazmorras de Morgana se debatían entre la esperanza y el fatalismo. Los rescates habían sucedido muy poco a poco, cuando menos lo pensaban las doncellas, cuando prácticamente habían dejado de pensar en ellos. Pero ya estaban fuera más de la mitad de las doncellas cautivas, y eso significaba algo. Aunque no había ninguna garantía de que los rescates siguieran; quizá todo se acabara allí.

El caso era que las tres doncellas, Findia, la desmemoriada, Bellador, la del gran sufrimiento, y Alisa, la que hablaba con el viento, se consolaban entre sí y se fueron cobrando más y más aprecio. Sus personalidades se complementaban y se entendían todas a la perfección, de manera que en la mazmorra reinaba una singular armonía.

—¿Sabes, Alisa? —decía, por ejemplo, Bellador, la doncella del gran sufrimiento—. Antes de conocerte, yo pensaba, viéndote de lejos, que estabas completamente loca, que no tenías cabeza, vamos, porque te veía mover los labios como si siempre estuvieras hablando con alguien, y mirar a lo lejos fijamente, como si todo el rato, también, estuvieras delante de alguien, y yo esa ausencia la interpretaba como falta de razón, pero ahora la considero admirable y yo misma trato de imitarte. Tú tienes una extraña capacidad para salirte del tiempo habitual y entrar en otro, más calmado, como detenido, que a la larga te procura una gran paz, sobre todo si el tiempo normal, como nos ocurre ahora a todas nosotras, es espantoso. Por eso yo me he propuesto cultivar ese poder, que quizá tenemos todos más o menos, y ya he conseguido algunas veces entrar en extraordinarias dimensiones, en inauditos universos. No sé hasta qué punto es justo ya mi apelativo de doncella del gran sufrimiento, porque estoy segura de que hay en el mundo, me refiero al mundo libre, otras doncellas que sufren más.

Y Findia, la doncella desmemoriada, decía:

—Tampoco yo creo que el apelativo que me dieron nada más nacer sea exacto ni que corresponda a mis cualidades, porque yo no carezco de memoria y tengo dentro de mí, muy bien dispuesto, el sentido del discurrir del tiempo. No tengo recuerdos, eso es lo que sí puede decirse de mí; carezco, por tanto, de nostalgia concreta, aunque sé lo que es el sentimiento de añoranza en términos generales, abstractos. Pero no se me quedan las cosas grabadas en la memoria, de manera que todo lo que ha sucedido se me fue para siempre y no puedo evocarlo, aunque sí sé que han sucedido muchas cosas y, al saber eso, hasta puedo imaginar qué han sido esas cosas, y como ahora dispongo, dadas las circunstancias en que nos encontramos, de mucho tiempo, mi imaginación se ha disparado y desarrollado muchísimo y tengo muchas y diversas versiones de mi pasado y alguna quizá coincida con lo que de verdad sucedió.

»Estamos ahora presas de Morgana —siguió—, y yo me he representado en mi mente muchas historias sobre mi encarcelamiento, y muchas historias, también, sobre mi posible rescate, porque mi imaginación tanto va hacia atrás como hacia adelante, y todas estas historias me ayudan a sobrellevar el estado en que vivimos, que es triste y deplorable, y me pregunto si el hecho de no tener recuerdos no habrá sido especialmente bueno para mí, porque muchas veces os he visto llorar, a ti y a las otras doncellas, precisamente a causa de vuestros recuerdos. En cambio, yo no estoy tan atada al pasado y me resulta bastante sencillo, al inventarlo, darle conexión con el futuro, cosa que a vosotras, por lo que he visto, os cuesta muchísimo, y miráis hacia el pasado como algo perdido, irrecuperable, que no tiene ninguna relación con nada y eso os deja desarmadas y deprimidas. Aunque es verdad eso que dices, Bellador, de que no es justo que se te conozca como la doncella del gran sufrimiento, porque no me parece que sufras de forma insoportable, sobre todo en los últimos tiempos. Yo diría que casi has dejado de quejarte.»

Y Alisa, la doncella que hablaba con el viento, decía:

—Sois las dos tan buenas compañeras y tan sensatas y alegres que si no fuese porque vivimos en una prisión, encerradas, desprovistas de toda libertad, respirando este aire húmedo y enrarecido al que no llega el sol ni la brisa, sería feliz, os lo aseguro, porque nunca estuve tan bien acompañada. Nadie como vosotras me ha comprendido hasta ahora, con nadie me he sentido tan a gusto. Extraño y cruel es el destino cuando me muestra esta felicidad en condiciones tan lamentables.

»Como bien decís —continuó—, el mundo se ha equivocado en daros vuestros apelativos y ni tú, Findia, eres, con exactitud, la doncella desmemoriada, ni tú, Bellador, la del gran sufrimiento. Yo no llamaría desmemoriada a una criatura que tiene esa aguda conciencia del discurrir del tiempo que te caracteriza, Findia, y esa imaginación tan portentosa, que a mi parecer es más útil que la más exacta de las memorias, y tampoco llamaría, por otra parte, doncella del gran sufrimiento a una criatura tan generosa y atenta como tú, Bellador, que siempre estás pendiente de nuestras penas y decaimientos, que es una cualidad que, normalmente, las personas que sufren suelen perder, porque los muy sufridores y dolientes se hacen egoístas y desconsiderados con los otros, porque se imaginan en el centro del drama. Eso no te sucede de ningún modo a ti, Bellador, y cada día que pasa te haces más solícita y amistosa con nosotras.

»Sin embargo —dijo después de una pausa—, conmigo no se ha equivocado del todo el mundo, porque es verdad que mientras fui libre fui como dicen, y, efectivamente, hablaba con el viento, tenía larguísimas conversaciones con él, si bien ahora me veo obligada a recitar monólogos, porque ya no oigo su voz, por mucho que me esfuerce. En seguida descubrí esta capacidad, y me ha servido de mucho, porque el viento tiene muchas cosas que decir, ya que ha visto y escuchado mucho. El viento es sabio, pero desordenado y alocado y, para poder hablar con él y entenderlo cabalmente, hay que ser un poco como él, de manera que yo no me escandalizo de que fuera de estas prisiones, en el mundo libre, se me haya tenido por loca y enajenada. Yo he preferido la compañía del viento a la de las personas. Nada más despertar, subía a la torre más alta del castillo de mis padres y me pasaba allí todo el día, si es que no me iban a buscar y me obligaban a bajar al comedor a la hora del almuerzo o de la cena, pero algunas veces se olvidaban de mí, o deliberadamente me dejaban en lo mío, porque mi presencia les resultaba fastidiosa.

»Hablaba lo mínimo con ellos —siguió relatando—, monosílabos, lo justo para hacerme entender, nunca discutí sus órdenes y costumbres, nunca me opuse a ellas. Era silenciosa y dócil, siempre a la espera de volver a la torre y seguir mi conversación con el viento. No les molestaba en absoluto, no me interponía en sus planes, podían prescindir de mí, y, sin embargo, les irritaba, yo me daba cuenta perfectamente de que les sacaba de quicio, como si con mi recurrente huida hacia la torre y mi capacidad de hablar con el viento, que inocentemente les confesé, les ofendiera y agraviara de manera insoportable. Se vengaban de mí con pequeños detalles. Mis padres, por ejemplo, aprovechaban para hacer valiosísimos regalos a mis hermanas en aquellas ocasiones en que no me llamaban a la hora de las comidas. Luego yo las veía cubiertas de joyas de hermosísimos colores y formas y mis hermanas me decían con alevosía que mis padres ya estaban hartos de mí y hasta llegaban a sugerirme que me recluyera de una vez por todas en la torre y los dejara a todos en paz.

»Fue precisamente la curiosidad de Morgana lo que trajo mi perdición, pues de lo contrario creo que ahora estaría instalada en la torre del castillo de mis padres, entregada a mis conversaciones con el viento y siendo razonablemente feliz. Pero ya os he dicho otras veces que esa perdición fue, al mismo tiempo, mi salvación, porque si Morgana, que visitó a mis padres en compañía de Accalon, no hubiera pedido que yo le fuera presentada, movida por la curiosidad que mi capacidad de hablar con el viento le inspiraba, yo no habría cruzado mi mirada con la de Accalon y no habría conocido en toda mi vida otra cosa que los susurros cambiantes del viento. No habría conocido el amor.

»El caso fue que Morgana, siempre interesada por lo raro e inaudito, quiso conocerme, y, así, bajé de la torre —siguió Alisa, como en trance— y me uní a mis hermanas, un poco avergonzada de que mis ropajes no fueran lujosos y brillantes, pero entonces sentí esos ojos clavados en mí, y mi corazón latió de una forma tan acelerada y fuerte que no podía entender lo que decían ni todo lo que luego me preguntó Morgana. El resto ya lo conocéis —suspiró—. Como vosotras, fui engañada con bajas y serviles tretas, y conducida luego hasta esta prisión donde nos encontramos y donde ya no puedo escuchar la voz del viento, porque estos muros horribles nos mantienen alejadas de todos los fenómenos del mundo. Arrancadas, diría yo. Y es verdad que lamento no poder escuchar aquellas palabras susurrantes, sibilantes, que el viento me dirigía, pero eso no es nada al lado de mi amor por Accalon, que está intacto y que me hace vivir y desear la vida, porque tengo la esperanza inaudita de volverle a ver. Durante mucho tiempo, fui la doncella que hablaba con el viento, y era justo que se me llamara así, pero ahora soy la doncella que guarda una mirada, que vibra por ella, y la retiene, la cultiva y no deja de esperarla.»

Y así estaban las doncellas, hablando, opinando y contándose sus vidas, cuando llegó Estragón a visitarlas, cosa que hacía con mucha frecuencia, porque no podía pasarse mucho tiempo sin ver a Bellador, de quien estaba profundamente enamorado. Estragón les dijo que se tenían noticias de que el caballero de plata, que había tomado sobre sí la demanda de Findia, la doncella desmemoriada, estaba ya cerca del castillo y que, por tanto, se podían tener razonables esperanzas sobre el rescate de Findia, ya que hasta el momento todos los caballeros que habían llegado a Avalon para liberar a las doncellas habían logrado sus objetivos, y las doncellas se abrazaron unas a otras y abrazaron también a Estragón, que se demoró un poco al lado de Bellador.

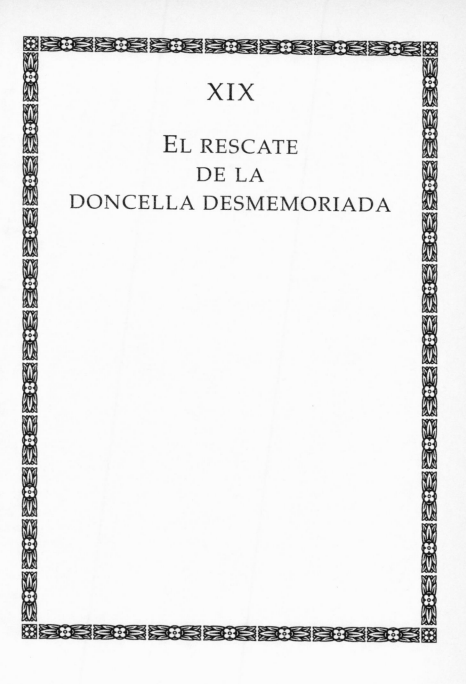

XIX

EL RESCATE
DE LA
DONCELLA DESMEMORIADA

EL RESCATE
DE LA
DONCELLA DESMEMORIADA

El caballero de plata, acompañado de sus fieles Ninfo, Bato y Perla, llegó al fin al castillo de Morgana. El camino, desde que salieran de la aldea de los niños salvajes, no fue fácil, y el grupo dio todo tipo de vueltas y rodeos, evitando a los merodeadores sospechosos y a los incontables bandoleros que eran el azote de los caminantes. Superaron muchas peripecias, pero el sentido común, cada vez más arraigado en el caballero de plata, y una suerte providencial los guiaron, aunque lentamente, hasta el castillo. Ninfo, Bato y Perla, que siempre habían admirado al caballero de plata, eran, cuando llegaron al pie del castillo de Morgana, verdaderos devotos del caballero, y cada uno se había dicho para sí, que si había que dar la vida por el caballero, la entregaría sin dudar un segundo.

Perla era una niña de inusitada belleza. Sus ojos derramaban dulzura y entrega y sus gestos eran de una delicadeza tal que hacían pensar en una altísima cuna. Sin embargo, como contraste, su hablar era desparpajado, populachero, ingenioso y muy dispuesto a la gracia y a la burla. Todo indicaba que la inteligencia de Perla, aún en bruto, iba a ser deslumbrante. El caballero de plata tenía con ella conversaciones profundísimas, que suscitaban los celos de Ninfo y de Bato, aunque finalmente ellos también quedaran rendidos ante el encanto y sabiduría innata de Perla.

Cuando llegaron ante el castillo, miraron bien a su alrededor para encontrar la forma de entrar, pero no había ningún signo de vida, y es que el cuerno de los avisos había sido retirado hacía unos días, por orden expresa de Morgana.

«Que se las arreglen ellos, no tengo por qué dar tantas facilidades», se había dicho Morgana momentos antes de mandar retirar el cuerno de los avisos. «No tengo por qué estar pendiente de las visitas.»

Y dio instrucciones a los soldados que ocupaban las torres vigías de no hacer ninguna señal, a no ser que, por la vía y el modo que fueren, las visitas lograran introducirse en el recinto del castillo.

El grupo del caballero de plata dio, por tanto, muchas vueltas alrededor del castillo, por ver si se distinguía a algún ser humano en su interior al que preguntar la manera de entrar, pero al fin todos se dieron por vencidos. Llegaron, entonces, a dudar si aquel sería verdaderamente el castillo de La Beale Regard, por mucho que habían seguido todas las indicaciones pertinentes y no había en los contornos, de eso estaban seguros, otro castillo de tal magnificencia. Pero el castillo cerrado a cal y canto que tenían ante los ojos, se dijeron al fin, correspondía una por una a las características que, según se habían informado, eran propias de La Beale Regard. A no ser, dijo Bato, que les hubieran engañado, pero en seguida desecharon esta posibilidad, porque no podía ser que gente tan diversa y desconocida entre sí como la que se habían ido encontrando por el camino se hubiera puesto de acuerdo para urdir el engaño.

No tenían más remedio que admitir que, aunque ya habían llegado al castillo de La Beale Regard, parecía imposible entrar en él. Por lo demás, aunque no se divisaba en las fachadas externas ni en el cerco de las murallas signo alguno de vida, sentían con toda claridad que el castillo estaba habitado. El castillo latía, y el humo blanquecino que se elevaba hacia el cielo por tres supuestas chimeneas, tres columnas de humo cuyo punto de partida no podían ver, pero que debía de estar en uno de los patios del castillo, era el testimonio fehaciente de esa alma. Muy habitado, concluyeron, porque tres columnas de humo no eran ninguna tontería.

De forma que el grupo del caballero de plata, todos sus miembros desconcertados y desanimados, se apartó un poco del castillo, poniéndose a cubierto en un espeso bosque cercano para discutir el modo de abordar y dar feliz conclusión a aquel espinoso asunto.

Y quiso la casualidad que, por esas fechas, Nimué, que se había quedado muy impresionada de la visita que, como escudero del caballero dorado, había hecho a La Beale Regard, sobre todo de los saberes y de la personalidad de Morgana, y que había estado planeando otro viaje al castillo, estuviese también a sus puertas. De hecho, llegó a él mientras el grupo del caballero de plata descansaba en el bosque cercano, y, como ya era muy tarde y tampoco ella vio, esta vez disfrazada de mendiga, ninguna señal que le indicara la manera de acceder a su interior, se dijo que lo mejor sería aguardar a la mañana y también ella se adentró en el bosque, en busca de un lugar donde pasar la noche.

Después de comer un poco de las provisiones que había traído, Nimué se hizo un lecho de hojas secas entre las raíces de un gran roble y colocó encima el manto y luego se tendió y arropó lo mejor que pudo. Estaba a punto de quedarse dormida cuando escuchó unas voces muy dulces e infantiles y al principio no supo si pertenecían a una aventura de los sueños, pero, después de un rato, comprendió que correspondían a personas de carne y hueso y que, sin duda, estaban muy cerca. La noche era oscura y fría, y Nimué se dijo que lo más prudente era tratar primero de averiguar, antes de darse a conocer, quiénes eran los que hablaban en lugar y hora tan extraños, y, cubierta por el manto, se acercó con gran sigilo al punto de donde provenían las voces.

No le llevó mucho tiempo deducir que aquel caballero tan hermoso que, rodeado de dos niños y una niña, estaba medio echado, en amena conversación con ellos, era el caballero de plata, quien, según sabía Nimué, había tomado sobre sí la demanda de Findia, la doncella desmemoriada, pues la armadura que, no lejos de él, descansaba sobre el musgo, brillaba como la plata a la débil luz de las estrellas en aquella noche sin luna. Y dedujo, también, que aquellos niños debían de ser pobladores de la aldea de los niños salvajes, pues ya se había extendido la noticia de que el caballero de plata había pasado mucho tiempo viviendo entre ellos y que los había organizado y enseñado muchas cosas, por lo que los niños lo veneraban, de manera que no era raro que algunos de ellos hubieran querido acompañarle hasta el castillo de Morgana. Y, tras decirse todo esto, Nimué decidió presentarse al grupo.

El caballero de plata se levantó de un salto y saludó a Nimué muy ceremonioso y luego la invitó a sentarse con ellos.

—Todo el mundo sabe —dijo el caballero de plata— la gran consideración en que te tiene Merlín, por lo que es un honor para nosotros tenerte a nuestro lado, y a lo mejor a ti se te ocurre la forma de entrar en el castillo de Morgana, porque nosotros hemos dado muchas vueltas a su alrededor antes de que cayera la noche y no hemos visto ninguna rendija ni posibilidad alguna de quebrar sus muros.

—Cuando salga el lucero del alba te enseñaré un pasadizo secreto que llega hasta el mismo corazón del castillo —respondió Nimué—, porque tu causa no puede ser más noble, caballero, y estoy llena de compasión por las doncellas que aún están presas de Morgana. ¿No es Findia, la doncella desmemoriada, quien ahora aguarda tu llegada y tu victoria para lograr el rescate?

El caballero de plata confirmó en seguida las sospechas de Nimué y luego todos se estuvieron mucho rato hablando en la oscuridad porque no tenían nada de sueño y Nimué estaba llena de curiosidad por la vida en la aldea de los niños salvajes, por lo que les hizo a los cuatro muchas preguntas, que sobre todo contestaron los niños, y, en especial, Nimué se asombró de la gracia y la inteligencia de Perla, y se dijo para sus adentros que si no se torcían sus cualidades instruiría a Perla a su debido tiempo, porque era muy útil y agradable tener discípulas.

Cuando el lucero del alba asomó en el cielo, Nimué les condujo hasta un hoyo que estaba rodeado de arbustos y muy disimulado con hojas secas y por el que se descendía, a través de unas escaleras, al pasadizo secreto.

—Nosotros te esperaremos aquí —dijo Nimué—, porque en el castillo sólo seríamos un estorbo para ti. De todos modos, si tardas mucho, yo iré a ver qué pasa y los niños pedirán ayuda.

Entonces el caballero de plata encendió la vela que le dio Nimué y descendió por las escaleras hasta el pasadizo. Anduvo largo rato y tuvo la sensación de subir y bajar y torcer a un lado y a otro muchas veces, de manera que estaba completamente desorientado. El aire era húmedo e irrespirable y el caballero se sentía cada vez más débil y mareado. Al fin, vio un resplandor por encima de su cabeza, remontó una escalera larguísima y empujó una tabla por cuyas rendijas se filtraba la luz.

Era una habitación pequeña con un camastro y un baúl y, aunque estaba vacía, parecía, por la manta desordenada que cubría el camastro, por el olor que flotaba en el aire, que allí había dormido alguien. Se preguntó qué sería lo más aconsejable y decidió esperar un poco. Se acababa de sentar sobre el camastro cuando se abrió una puerta que estaba disimulada en el muro y entró Estragón, el enano. Miró al caballero de plata muy sorprendido y luego le preguntó quién era y cómo había llegado allí, y el caballero le dijo la verdad.

Al conocer que había sido Nimué quien había enseñado el pasadizo al caballero de plata, Estragón comprendió que el rescate de la doncella desmemoriada estaba ya prácticamente garantizado, puesto que la sombra de Merlín les protegía. Dijo al caballero de plata que esperara un poco, que descansara en el lecho, si es que, como parecía, estaba necesitado de descanso, mientras él hacía las diligencias oportunas.

Y, una vez que se marchó, Estragón volvió en seguida, sosteniendo entre las manos un cuenco de agua fresca, que agradeció mucho el caballero, porque estaba muerto de sed.

Luego Estragón se dirigió a los aposentos de Morgana y le comunicó que el caballero de plata había llegado al castillo. Entonces Morgana, que ya estaba levantada y se había sentado a su escritorio cubierto de libros y cuadernos, dijo, ante el asombro de Estragón:

—No va a haber más justas ni más sangre ni más pruebas. Que el caballero de plata se lleve a la doncella desmemoriada por el mismo camino que ha venido al castillo y que nadie haga ningún comentario, Estragón. Es mi voluntad que a partir de ahora las doncellas sean liberadas sólo con la condición de que vengan sus caballeros a buscarlas, porque ya estoy cansada de este asunto, y yo misma las pondría en libertad si no fuera porque me gusta demasiado respetar las reglas del juego.

Estragón hizo que se cumpliera la voluntad de Morgana, bajó a las mazmorras, liberó a Findia y se la entregó al caballero y los dos recorrieron el oscuro y húmedo pasadizo y salieron luego por el hoyo del bosque, donde les aguardaban Nimué y los tres niños de la aldea salvaje, y luego Estragón volvió al pasadizo. Entonces se despidió Nimué del grupo del caballero de plata, que emprendió el regreso hacia la lejana región de donde procedía el caballero.

XX

Desaparición del Caballero Irisado

❦ Desaparición
del caballero irisado ❦

Allí se quedó un rato Nimué, muy pensativa, porque se había acercado al castillo de La Beale Regard movida por la enorme curiosidad que le inspiraba Morgana, y a sus puertas se había encontrado con aquel extraño grupo, lo cual le había remitido a la realidad, a la crueldad y a las trampas de Morgana, y decidió que, antes de nada, había que resolver ese asunto. No podía cruzarse de brazos ante aquel atropello. Mientras permaneciera en las mazmorras del castillo, cautiva de Morgana, una sola de las doncellas que, a causa de los celos, Morgana, sirviéndose de sus poderes, había hecho apresar, Nimué no iba a dedicarse a sus habituales investigaciones.

Una por una habían llegado a los oídos de Merlín, y a los suyos propios, los de Nimué, noticias de los caballeros encargados del rescate de las doncellas cautivas. Eran ahora dos las que aún eran retenidas en las mazmorras, Bellador y Alisa. Se sabía que el caballero violeta, quien había tomado sobre sí la demanda de Alisa, se había enredado en innumerables batallas, pero era un caballero valeroso y lleno de recursos y estaba ya muy cerca del castillo. Pero del caballero irisado, el responsable del rescate de Bellador, hacía mucho tiempo que no se sabía nada. Su pista se había perdido en seguida, nada más abandonar Camelot, por lo que parecía muy probable que hubiera sido víctima de una desgracia sin remedio. O se había extraviado para siempre, o Morgana lo había encantado, también para siempre, o había muerto, ya en una batalla contra un caballero enemigo o contra uno de los muchos monstruos que guardaban castillos y reinos, ya se hubiera resbalado y caído al fondo de un barranco o de un foso, donde habría sido pasto de los cuervos. Morir era más fácil que vivir, y ya era raro que, por lo que se sabía hasta el momento —puesto que las noticias sobre el caballero violeta eran bastante recientes—, seis de los siete caballeros que habían salido vencedores en el torneo que para la liberación de las doncellas había convocado el rey Arturo estuviesen vivos y que cinco de ellos hubieran cumplido su objetivo. Respecto al caballero irisado, Nimué ya no tenía ninguna duda, había muerto.

Había que liberar cuanto antes a Bellador, la doncella del gran sufrimiento, sin dar más plazos al caballero irisado, se dijo, en conclusión, Nimué, asombrándose de no haber llegado antes a esta evidencia. Y si era así, lo mejor era hablar con Estragón, el enano enamorado de Bellador.

Pobre Bellador. No en vano se la conocía bajo el sobrenombre de doncella del gran sufrimiento, se dijo Nimué; sin duda se había quedado sin caballero que la rescatara.

Tomada esta resolución, Nimué se adentró en la boca del pasadizo que llevaba hasta el mismo aposento de Estragón. Allí se encontró al enano, dormido, pero con un ojo abierto, porque estaba muy acostumbrado a vigilar y su sueño no podía ya ser profundo.

—No sé por qué, pero no me extraña nada volverte a ver, joven escudero del caballero dorado —dijo, nada más ver a Nimué—. Ahora ya te reconozco del todo, porque cuando te vi, hace un rato, a la salida del hoyo, aunque tu rostro me resultó muy familiar, no sabía bien quién eras. ¿Qué haces disfrazado de mendiga? Estas ropas no se ajustan nada bien a tu naturaleza, ya me dirás por qué un guapo mozo como tú va por el mundo con ese disfraz y, sobre todo, por qué has dejado al pobre caballero dorado, a quien le eras tan necesario, y has vuelto al castillo de Morgana, donde nada se te ha perdido, que yo sepa.

—No soy ningún escudero, Estragón —repuso Nimué, despojándose del manto raído que la cubría— ni joven alguno, sino que soy Nimué, discípula del sabio Merlín. Vine la otra vez acompañando al caballero dorado para ayudarlo en la liberación de su doncella y ahora quiero ayudarte a ti, Estragón, porque conozco tus buenas intenciones y tu gran inclinación por Bellador. No se han tenido noticias del caballero irisado, el encargado del rescate de esta doncella, y a estas alturas ya podemos darlo por muerto, de forma que, como Merlín me ha enseñado la manera de disimular mi apariencia, estoy dispuesta a hacerme pasar por el caballero irisado y pedir a Morgana el rescate de Bellador, pues me han dicho que ahora Morgana se contenta con que el caballero pida de palabra el rescate.

—Estás muy bien informada, Nimué —dijo, asombrado, Estragón—, aunque si se considera que eres discípula de Merlín el mago, no resulta raro que sepas tanto. Merlín ha tenido mucho que ver en estos rescates y siento una enorme gratitud hacia él, porque el sufrimiento de estas doncellas me ha conmovido mucho. Es verdad que amo a Bellador y me parece muy bien tu plan, por lo que, pídeme lo que quieras, Nimué, que desde ahora te prometo el cumplimiento más acabado de tu voluntad y un agradecimiento eterno.

»La verdad es que no se me había ocurrido que el caballero irisado podía haber muerto —siguió luego—. A veces pasa que la mente se embota. Tu presencia aquí, por no decir tu aparición, no puede ser más providencial, Nimué. Dime todo lo que necesitas para el disfraz, que te lo procuraré con la mayor rapidez.»

Entre los dos imaginaron cómo habría debido de ser la apariencia del caballero irisado, cuya armadura estaba hecha de un metal rarísimo que reflejaba muchas luces a la vez y reproducía muchos colores. Tras algunas pruebas y experimentos, Nimué dio con un metal de estas características y Estragón se encargó de que hicieran con él, con gran diligencia y destreza, una hermosa armadura. Cubierta con ella, Nimué no podía sino ser el caballero irisado, y los dos se sintieron muy satisfechos de su obra.

Dijo entonces Estragón:

—Voy a decirle a Morgana que el caballero irisado ha llegado al castillo.

—No —respondió Nimué—. Deja eso de mi mano. Indícame tan sólo el modo de llegar a sus aposentos, porque estoy muy interesada en su reacción y me gustaría ver a Morgana a solas.

Estragón condujo entonces con mucho sigilo a Nimué hasta la puerta del aposento principal de Morgana y allí se despidió de ella, quedándose, no obstante, muy cerca, para no perderse el desarrollo de la escena.

XXI

Coloquio de Morgana con Nimué disfrazada de caballero irisado

COLOQUIO DE MORGANA CON NIMUÉ DISFRAZADA DE CABALLERO IRISADO

Estaba Morgana inclinada sobre el escritorio, poniendo orden en unos pergaminos y haciendo algunas anotaciones, porque era muy dada a fijar en frases sus pensamientos para luego rememorarlos y compararlos con los nuevos, cuando escuchó unos golpes en la puerta, que le parecieron demasiado suaves para ser los de Estragón.

—Pasa —dijo, de todos modos, sin darle más vueltas, porque ya estaba cansada de aquel difícil ejercicio.

Volvió la cabeza y cuál no sería su sorpresa al ver al caballero irisado en la puerta misma de su habitación, avanzando en seguida hasta ella y cayendo luego a sus pies, todo tan rápido, que no tuvo tiempo de decir palabra. El hecho era insólito, pero a Morgana le horrorizaba la monotonía, y la audacia del caballero que tenía a sus pies le dio muchos ánimos.

—¡Ponte en pie, caballero irisado, y muéstrame el

rostro! —dijo, enérgica, Morgana—. Tendrás que expli-
carme muy bien este atrevimiento.

El caballero irisado, entonces, se enderezó y se despojó del yelmo, dejando al descubierto un rostro bellí-
simo enmarcado por una abundante y brillantísima
mata de pelo cuyas tonalidades también tenían, del
mismo modo que toda la armadura, reflejos iridiscentes.

—Hermoso rostro tienes, caballero —dijo Morgana—.
Algo me dice que no es la primera vez que lo veo, aunque, de haber sido así, me extrañaría que lo hubiera olvidado. Pero ahora aclárame cómo has llegado hasta mi
habitación.

—He entrado al castillo por la puerta principal —repuso el caballero irisado—, he dejado mi caballo en el
abrevadero del patio, he atravesado luego la puerta más
grande que encontré después de recorrer la galería del
patio, subí las escaleras, recorrí el pasillo y llamé a esta
puerta, que también me pareció la más principal. Como
verás, señora —terminó, inclinando graciosamente la
cabeza, lo que conmovió a Morgana—, ha sido de lo
más sencillo.

—Ya lo veo —dijo Morgana, pensativa—. Y, ¿no en-
contraste a tu paso a ningún guardián, a nadie que te
preguntara adónde te dirigías?

—En absoluto —respondió muy serio el caballero
irisado—. Tanto es así, que he llegado a pensar que el
castillo estaba vacío, y me extrañaba, porque el olor indicaba que sí había gente. Un castillo abandonado no
huele a comida y a terciopelo, sino a hierba húmeda y
cenizas.

—¿Es ése el olor de mi castillo? —preguntó Morgana—. ¿Comida y terciopelo?

—Lo he dicho sin pensar —repuso el caballero irisado—, pero me parece que sí, ése es el olor, y me parece que la comida, a juzgar por el olor que despide, debe de ser buena.

—¿Y el terciopelo? —preguntó, divertida, Morgana.

—De mucha calidad —respondió el caballero, señalando los cortinajes que cubrían parte de las ventanas—, pero algo ajado, si me permites decirlo.

—Tómate toda la confianza que quieras —dijo Morgana—. Estás en tu casa, caballero. Si quieres, quítate toda la armadura, anda, ponte cómodo. Si tienes hambre, aún me quedan restos bastante copiosos del desayuno.

—Tomaré un copa de vino, si es que hay algo de vino entre esos restos —dijo el caballero irisado.

—Sírvete tú mismo —dijo Morgana, señalando el baúl sobre el que reposaban las viandas.

Nimué, que se había quitado aquellas piezas de la armadura de las que podía desprenderse sin ayuda, se acercó al baúl y se sirvió vino de la jarra. Sabía que Morgana la estaba mirando.

—¿Y vos, señora? —preguntó, muy formal—, ¿no queréis una copa de vino?

—Te acompañaré, caballero, porque no es cortés dar de beber a los invitados si no lo hace asimismo el anfitrión —contestó Morgana—. Eres un caballero muy particular, debo decirte, manejas el tratamiento a tu antojo y con gran desenvoltura y, aunque, a lo que imagino, has venido a rescatar a Bellador, la doncella del gran sufrimiento, hasta ahora ni la has mencionado.

Nimué se ruborizó un poco, porque ciertamente se había olvidado de su cometido y sólo quería poder conversar con Morgana y sopesar su ingenio, pero al momento se repuso.

—No me ha parecido bien hablar de otra dama delante de ti, si no contaba con tu permiso —dijo—, sólo aguardaba el momento más oportuno para hacerlo. Es verdad lo que dices, he venido para rescatar a Bellador, mi doncella, y te agradeceré que me digas lo que debo hacer para conseguirlo.

—Según mis últimas declaraciones, basta con que se me pida —dijo Morgana.

—Pues te lo pido.

—De acuerdo, caballero. Bellador es tuya. Haré venir a Estragón para que te la entregue. Ya ves qué fácil ha sido todo. Has entrado en el castillo sin que nadie te detuviera ni preguntara nada, has traspasado el umbral de mi dormitorio, me has pedido la libertad de tu dama y te la he concedido, ¿hubieras imaginado nunca nada más fácil?

Las dos damas se miraron, retadoras y pensativas.

—Si me permites una pregunta personal, admirada Morgana —dijo al fin el caballero irisado—, ¿por qué te has metido en todo este tenebroso asunto?, ¿cómo, siendo tan inteligente y con todas las artes que conoces y que tanta distracción procuran a la mente, has prestado atención a la fatal voz de los celos, como hacen muchas mujeres y más de un hombre de personalidad débil y enfermiza?

—No conoces el poder del amor, afortunado caballero —repuso Morgana— y créeme que te envidio por eso. Las palabras que acabas de decir las hubiera podido pronunciar yo en mi juventud, cuando era una joven altiva e inexperta. Da gracias al cielo por ser hombre, porque así te puedes enamorar con toda tranquilidad, como te plazca y de quien te plazca, que siempre encontrarás el modo de seguir adelante, pero una mujer enamorada se reduce a nada. Sólo hay un lugar para la mujer enamorada y es el de la esposa entregada y fiel, y si no lo tienes estás perdida. Si en vez de ser el caballero que eres, fueras mujer, te lo aconsejaría de todo corazón, no te enamores; pero eres hombre y es inútil que sigamos hablando de esto.

Sin embargo, Nimué no se dio por vencida y aún hizo a Morgana otras preguntas no sólo sobre los celos y la pasión, sino sobre el orgullo, las ambiciones y la sabiduría. Y pasaron las dos buena parte del día platicando.

Estragón, que había estado escuchando toda la conversación desde un escondite, al fin se presentó en el cuarto y dijo a Morgana que su presencia era necesaria en otras dependencias del castillo. Simuló una gran sorpresa al ver y saludar al caballero irisado, pero su asombro fue por completo genuino al ver que ambas damas parecían muy entretenidas y muy bien avenidas, lo cual se reflejaba en sus rostros, que se miraban mutuamente complacidos.

Morgana despidió al caballero irisado con estas palabras:

—Quiero decirte, caballero irisado, que la plática que hemos tenido ha sido de lo más placentera, y si no estuviera yo escarmentada y cansada del amor, habría hecho por retenerte y conquistarte después, porque es muy raro encontrar a un caballero tan interesado en las ciencias naturales y en las del espíritu y que converse de modo tan fluido y discreto. Para serte sincera, con Accalon es imposible hablar así.

Tendió luego Morgana la mano al caballero para que se la besara, cosa que Nimué hizo con toda desenvoltura, muy en su papel de caballero. Dijo entonces Morgana a Estragón que llevara al caballero irisado a reunirse con Bellador y que abandonaran el castillo por los pasadizos secretos que habían recorrido los anteriores caballeros y doncellas.

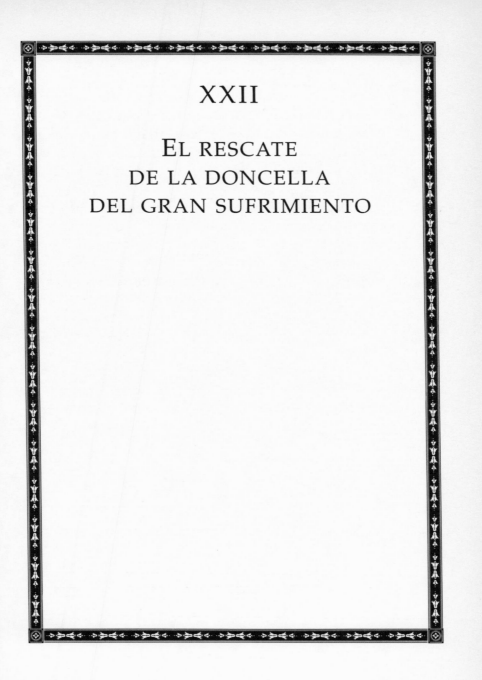

XXII

EL RESCATE
DE LA DONCELLA
DEL GRAN SUFRIMIENTO

❧El rescate
de la doncella
del gran sufrimiento❧

Cuando salieron de los aposentos de Morgana, dijo Nimué a Estragón:

—Yo ya he cumplido mi parte. Bellador es libre. Ahora te toca a ti explicarle nuestras sospechas sobre la muerte del caballero irisado y todo lo que hemos ideado para liberarla. Razones tendrá para estarte agradecida.

—Sólo te pido que mantengas el engaño un poco más, Nimué, hasta que estemos fuera del castillo, porque no me parece que debamos correr más riesgos.

—De acuerdo —repuso Nimué.

—Te confieso que estoy nervioso —dijo Estragón—. No sé cómo va a reaccionar Bellador cuando conozca la muerte de su caballero. Mucho me temo que su decepción va a ser enorme y me duele ya el rechazo que va a caer sobre mí.

—El corazón humano, Estragón, es un misterio —dijo Nimué— y no se me ocurre por qué razón habría de amar Bellador al caballero irisado sin haberlo visto nunca, porque me parece que el agradecimiento no lleva por sí solo al amor. En cambio, tú tienes muy buenas cualidades y Bellador ha tenido ocasión de conocer algunas.

Llegaron a la mazmorra, Estragón abrió la pesada puerta con la llave que siempre llevaba escondida cerca del pecho, una llave que ya se había convertido para él en el símbolo de su amor, y entraron los dos en la oscura prisión.

—Bellador —musitó Estragón, tratando de distinguir las figuras femeninas en la oscuridad—, aquí está el caballero irisado, de quien no hemos tenido noticia alguna hasta el mismo momento en que ha aparecido en el castillo reclamando tu rescate. Y tú, Alisa —dijo a ciegas, porque aún no veía nada, ya que tardaba un rato en acostumbrarse a la falta de luz—, no te desanimes, que todos los rumores apuntan a que el caballero violeta está a las puertas del castillo y llegará de un momento a otro.

Pero tanto Bellador como Alisa estaban dormidas, porque ya se encontraban muy debilitadas y las palabras de Estragón apenas si llegaron a sus oídos.

Nimué, impresionada, se acercó a las doncellas, que dormían una junto a la otra, sin duda para procurarse calor y consuelo, y se inclinó sobre ellas.

—¡Pobres muchachas! —exclamó—, ¡a qué estado las han reducido los celos de Morgana! No sé qué me da que liberemos a Bellador y dejemos sola a Alisa. Es verdad lo que has dicho del caballero violeta, porque todo el mundo le ha seguido la pista, ya que es un caballero muy valeroso, pero si acaso le sucede algo, nos debemos comprometer a liberarla nosotros. Yo, por mi parte, quedo desde ahora comprometida con esta empresa, ¿qué dices tú, Estragón?

—Lo juro por lo más sagrado, Nimué —dijo Estragón con vehemencia.

—Ayúdame, entonces, a poner en pie a Bellador —propuso Nimué— y entre los dos la sostendremos, porque me parece que no se va a despertar. Estas desdichadas doncellas no tienen ya ni fuerzas para estar despiertas.

—Ha venido el caballero irisado a rescatarte —decía de vez en cuando Estragón en murmullos.

Bellador al fin abrió un poco los ojos, vio a Estragón y le sonrió suavemente.

—¿Qué nos traes? —preguntó en voz muy baja—, ¿nos traes buenas noticias?

—Muy buenas, Bellador —dijo Estragón—. Ha venido el caballero irisado a rescatarte.

Pero Bellador volvió a cerrar los ojos. Nimué la sujetaba de la cintura, y Estragón le levantaba los pies del suelo. Y muy despacio y con mucho cuidado de no hacer daño a la pobre y debilitada doncella, fueron avanzando por el pasadizo y llegaron por fin al hoyo del bosque. Acomodaron a Bellador a la sombra de una haya, sobre un lecho de hojas secas y los mantos de Nimué.

Allí Estragón veló a Bellador día y noche, prodigándole todas las atenciones. Le dio de comer y de beber y le aplicaba los remedios que le recetaba Nimué. Poco a poco, volvió el color a las mejillas de la extenuada doncella y recobró también el sentido, que había permanecido adormilado y como perdido durante los últimos días.

Cuando conoció la treta que Nimué y Estragón habían urdido para rescatarla, tomó entre sus manos blancas y delgadísimas la mano arrugada, oscura y pequeña de Estragón.

—Dulce amigo —dijo—, eres el mejor de los hombres y no creo que exista caballero que se te pueda igualar. Lamento de todo corazón la muerte del caballero irisado y cuando regrese a mi reino haré buscar y enterrar luego su cuerpo con todos los honores. Una vez hecho esto, Estragón, le diré a mi padre que me dé licencia para irme contigo a vivir de la forma más humilde e ignota, porque ésa es la clase de vida que yo quiero llevar y me harías muy feliz si quisieras compartirla conmigo.

A lo cual Estragón, muy emocionado, repuso:

—No hagas ningún sacrificio por mí, Bellador. Dispón de mí a tu antojo, asígname las funciones y el lugar que te parezcan, pero no me alejes de tu lado, eso es lo único que me atrevo a pedirte.

Más tarde, dijo Bellador:

—Conforme voy recuperando la conciencia, más me acuerdo de Alisa y creo que no voy a poder regresar a mi reino sin saber si el caballero violeta ha conseguido su rescate. Ojalá encontrásemos el modo de hacer llegar a los míos que me trajeran aquí víveres y tiendas, porque estoy determinada a quedarme y a no perder de vista lo que sucede en el castillo.

Entonces Nimué, que había permanecido apartada, dijo que ella se encargaría de todo, lo que le agradeció mucho Bellador.

A los pocos días, llegaron muy buenos caballeros del reino de Bellador y se instalaron en unas tiendas que montaron al efecto, y mientras Bellador recuperaba la salud y las fuerzas y todos comprobaban, asombrados, que ya no se quejaba nunca de su propio sufrimiento, estaban al tanto de todas las noticias que se referían al caballero violeta y no veían el momento de que al fin llegara a las puertas del castillo de La Beale Regard, porque Bellador les había hecho el relato de los dones y cualidades de Alisa, y todos estaban conmovidos por su suerte.

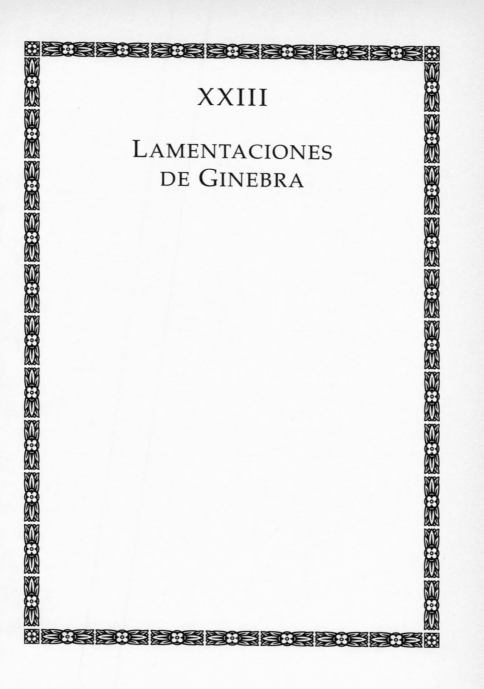

XXIII

LAMENTACIONES
DE GINEBRA

❦ Lamentaciones de Ginebra ❦

Desde que la reina Ginebra llegó a Camelot, el rey Arturo la llenaba de atenciones y cuidados y consiguió que fuera saliendo de su postración, y volvió el color a las mejillas de Ginebra y hasta la sonrisa volvió a sus labios. Continuamente se organizaban pequeños festejos en la corte, entretenimientos de toda clase, sobre todo representaciones teatrales, y recitales de músicos y poetas, y a veces la misma Ginebra participaba en ellos, pues tenía muchas dotes para la escena y su voz clara se modulada en variadísimos y entonados matices.

Viendo todo esto el rey Arturo, se alegraba en su fuero interno y se felicitaba de haber traído a la reina a la ciudad de Camelot, que ahora vibraba alrededor del castillo donde la reina volvía a reinar, y todos los habitantes de Camelot y de sus contornos se sentían muy alegres con el regreso de Ginebra y de aquel trasiego de artistas ambulantes, menestrales, juglares y bufones, que entraban y salían del castillo.

Una mañana de primavera en la que el sol hizo su aparición después de largos y cerrados días de lluvia, Ginebra salió al jardín y pidió a sus damas que la siguieran a bastante distancia, pues tenía necesidad de disfrutar de los aromas y milagros de la naturaleza a solas, y aun cuando el rey Arturo había dado a las damas de compañía de Ginebra las más estrictas instrucciones para que no la dejaran sola jamás, ahora las damas no se atrevieron a contrariarla, porque ya confiaban en su mejoría.

La tierra todavía estaba húmeda y Ginebra, pisando aquel lecho tan blando, apenas sentía que estaba andando de verdad y siguió y siguió, sin cansarse nunca y se aventuró más allá de las murallas que cercaban el castillo, deslizándose por unas ranuras secretas que el rey Arturo le había enseñado tiempo atrás. Siguió luego el curso de un río que durante un trecho bordeaba la muralla y llegó hasta un recodo donde manaba una fuente, a la sombra de árboles frondosos y de arbustos recién florecidos.

«¡Qué lugar tan hermoso!», se dijo Ginebra, complacida, y se sentó sobre una piedra que parecía haber sido puesta allí con el objeto de ofrecer un lugar de descanso al caminante. Mojó las manos en el agua clarísima de la fuente y se refrescó la cara y el cuello, pues la caminata había hecho que la sangre corriera apresuradamente por sus venas.

«¿Es esto la felicidad?», se preguntó, y en ese mismo instante se acordó de Lanzarote del Lago, en quien desde hacía tiempo no pensaba, y de repente el mundo entero se ensombreció y un dolor agudísimo le atravesó el corazón.

—¡Ojalá la muerte se acordara de mí! —exclamó—. Por mucho que me esfuerce, la vida ya no me importa nada, porque no voy a volver a ver a Lanzarote del Lago y mejor es ya que no lo vea, porque no podría soportar el dolor de su lejanía... ¡Ay!, Lanzarote, ¿qué veneno me diste?, sólo tus abrazos y tus besos tienen sentido para mí, sólo junto a ti encuentro la luz y el calor. ¡Apiádate de mí, Dios mío, creador de todas las cosas, no me dejes en este pozo espantoso, en esta oscuridad...!

Ginebra dio rienda suelta a su dolor, y lloraba y daba gritos y gemía, y finalmente se quedó exhausta, como sin vida, a un lado de la piedra blanca en forma de asiento, echada sobre la hierba, con las manos colgando sobre el agua recién manada de la fuente.

Sólo una persona había seguido el rastro de la reina.

Las damas, desorientadas, habían regresado a palacio y al fin habían confesado al senescal que la pista de la reina se les había perdido, y el senescal, sin apenas comentarios, las mandó a sus habitaciones. Porque el senescal sabía dónde estaba la reina. El senescal sabía que el rey Arturo no la había perdido de vista.

Asomado a la ventana, el rey Arturo había visto cómo Ginebra atravesaba las murallas y se internaba en la campiña, y, tras comunicárselo a Kay, el senescal, el rey había montado en su caballo y había salido corriendo del castillo.

Cuando el rey llegó al recodo del río donde manaba la fuente, ya Ginebra estaba a punto del desmayo. Oyó sus últimas quejas y vio cómo su figura desmadejada caía del banco de piedra y quedaba al borde del arroyo. Muy conmovido y silencioso, se inclinó sobre ella y la tomó entre sus brazos. Luego, la acomodó lo mejor que pudo sobre el caballo y, por caminos y senderos secretos, la llevó de vuelta al castillo, en el que entró también por puertas misteriosas.

Pidió a las damas que velaran el descanso de la reina y después se fue a su habitación, lleno de pesadumbre y preocupación. Allí permaneció solo, cavilando, hasta que al cabo mandó llamar a Kay y le dijo:

—Es preciso que encontremos a Lanzarote del Lago y que lo traigamos cuanto antes a Camelot. En ti confío esta misión, que es sagrada para mí.

Y Kay, sin decir palabra, asintió, e inmediatamente se preparó y salió en busca de Lanzarote del Lago.

La verdad era que Lanzarote del Lago ya estaba en camino.

La pastora Galinda y Marcolina habían recorrido todo el reino, preguntando aquí y allá, y al fin habían hallado a Lanzarote del Lago en un paraje inhóspito, entregado a una vida ascética, delgadísimo, envejecido, casi perdido el juicio.

—Ya ves el destino de estos pobres caballeros enamorados de damas principales y comprometidas —dijo Galinda a Marcolina—. Así como está ahora Lanzarote del Lago, cuentan que estuvo Tristán, que enloqueció por la bella Isolda. Tendremos que andarnos con mucho tiento y prodigarle los cuidados más exquisitos, porque tal como está no podemos llevarlo a la corte.

Pero si había alguien en todo el ancho mundo capaz de hacer ese milagro, ese alguien eran precisamente la sabia pastora Galinda y la inocente y alegre novicia Marcolina, y así, muy poco a poco, consiguieron, con infinita paciencia y dulzura, que Lanzarote del Lago recobrara el juicio y el deseo de vivir.

Le hablaron entonces de Ginebra y de la postración en que se encontraba y en seguida Lanzarote del Lago ya no quiso otra cosa que verla y ponerse a sus pies y, callado y dolorido, pero con expresión firme y determinada, iba el caballero entre las hermosísimas doncellas que lo habían cuidado con tanto esmero y que aún estaban pendientes de él, pues las dos se sentían enamoradas y eran felices sólo por ir a su lado.

Con este extraño grupo de a pie se encontró Kay, el senescal, que recorría a caballo los contornos en busca de noticias que lo llevaran a Lanzarote del Lago. Al principio, Kay no reconoció al caballero, y creyó que el grupo aquel eran artistas que iban a Camelot, sobre todo al ver el gorrión que descansaba sobre el hombro de Marcolina, que parecía un pájaro amaestrado.

—Ando en busca de uno de los mejores caballeros de la Tabla Rendonda —dijo, después de saludarles—. Dadme, por favor, todas las noticias que tengáis sobre los caballeros y os recompensaré bien.

La pastora Galinda miró fijamente al senescal y luego respondió:

—Si es a Lanzarote del Lago a quien buscáis, quizá no ande muy lejos, pero os advierto que él ya tiene una misión que cumplir y que nada se interpondrá en su camino.

—No sé quién eres, bella dama —dijo el senescal—, ni por qué me hablas con tanto atrevimiento. Pero pongo a Dios por testigo que no hay asunto más sagrado y necesario que el que tengo que comunicar al caballero que busco.

Entonces Lanzarote del Lago, que no había prestado ninguna atención a aquel diálogo, miró al senescal y lo reconoció.

—Yo soy Lanzarote del Lago —dijo—, del mismo modo que tú eres Kay, el senescal del rey Arturo, y te pido por Dios que me digas cuanto antes el asunto que debes comunicarme.

Kay se quedó muy asombrado de que Lanzarote del Lago, a quien en aquel mismo momento reconoció, anduviera a pie y desarmado, pero no le hizo ninguna pregunta, sino que le puso al tanto del estado de la reina Ginebra, y de cómo el rey Arturo la había sacado de la cartuja de Nuestra Señora de la Dulce Paciencia y la había llevado a Camelot y cómo ahora había mandado a buscar a Lanzarote del Lago con las mejores intenciones, lo cual no era necesario jurar.

—No puede venir ningún engaño —dijo Lanzarote del Lago— de la mano derecha del rey, de manera que vayamos, buen Kay, al castillo de Camelot, donde quiero ponerme de inmediato a los pies de mi señora la reina.

Y la pastora Galinda y Marcolina dijeron que también ellas irían a Camelot, pues no querían dejar a Lanzarote del Lago. Así llegaron todos al castillo, y el senescal los condujo hasta la presencia del rey y luego el rey se quedó a solas con Lanzarote del Lago un buen rato, y finalmente, el rey llevó a Lanzarote del Lago a los aposentos de la reina, y, dejándolos solos, se fue.

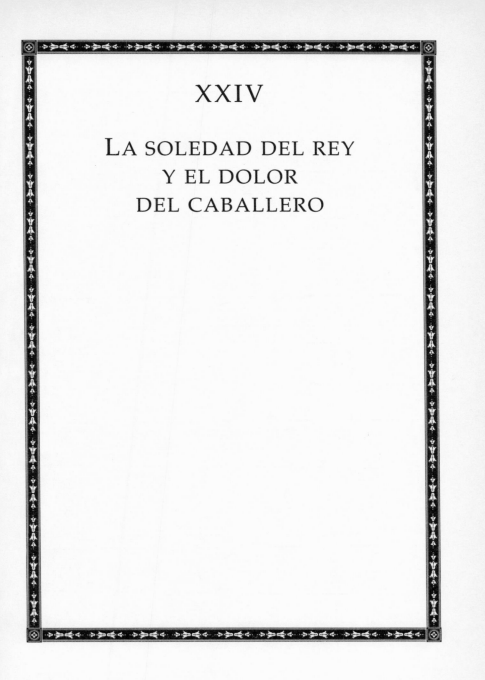

XXIV

LA SOLEDAD DEL REY
Y EL DOLOR
DEL CABALLERO

La soledad del rey y el dolor del caballero

Deambula el rey Arturo por los pasillos del palacio, tiene la cabeza llena de confusión, el corazón angustiado. Quisiera estar muy lejos de allí, y, a la vez, ni siquiera puede salir al jardín. Ya no se acuerda de los torneos gloriosos, de las batallas ganadas, de las fiestas de victoria. Se sienta en el suelo y se recuesta en la pared. El que pase por allí no reconocería al rey y creería que un sirviente está echando la siesta.

Al cabo, sale Lanzarote del Lago de los aposentos de la reina. Gruesas lágrimas se deslizan por su rostro. No mira a su alrededor, no sabe donde está. Va hablando solo.

—Me pides que no me aleje —murmura—, y no sabes que esa pequeña petición es la peor de las torturas para mí. Más me valdría morir que vivir a tu lado sin poder rozarte. Me quieres cerca, pero eso es muy lejos para mí.

Pides que me convierta en un muerto. Mátame de una vez, amor. Llévame, muerte.

Eso va diciendo Lanzarote del Lago, ese murmullo llena la galería, y al rey llegan las palabras de dolor del caballero. No le dice nada, no sabría qué decirle, prefiere no darse a conocer, permanecer en el amparo de la penumbra, aunque quisiera no oír esas palabras de dolor, que se le clavan en el corazón como dardos envenenados. Así transcurre el día, rehuyéndose mutuamente el rey y el caballero, evitándose. Se encierran luego cada uno en su habitación, adonde piden que les lleven la comida, que apenas prueban.

Al atardecer, reciben los dos una extraña nueva. La reina se ha levantado y ha preparado una fiesta. Ella misma ha bajado a las cocinas para disponerlo todo y que no falte de nada en el banquete. Dentro de muy poco rato, el necesario para que se bañen y se vistan adecuadamente, los espera en la sala dorada, también llamada sala de los cisnes.

Y el rey y el caballero, cada uno en su habitación, salen de su letargo, reaccionan. En el fondo, sienten curiosidad. Desearían que pasara algo, lo que fuera.

Llega ya la hora de la cena. Lanzarote del Lago entra en la sala con toda puntualidad. Viene radiante, no en vano es el caballero más hermoso y apuesto de los de la Tabla Redonda. Entra luego el rey Arturo, serio y majestuoso, y toman todos asiento, dejando un hueco entre ellos para la reina. Aparece la reina Ginebra, sin vestigio alguno en su rostro de la pasada enfermedad, de sus espantosos sufrimientos. Sonríe, como si su mente sólo estuviera habitada por pensamientos alegres. Habla con voz muy clara y pide que todos coman y beban en abundancia, porque a los postres quiere decirles algo. Todos la obedecen, sobre todo, el rey y el caballero, a quienes ella atiende, solícita, misteriosa.

Al fin, concluye el fastuoso banquete, y la reina habla:

—Os he convocado aquí —dice con voz firme—, amado rey, amables caballeros y consejeros, porque tengo una proposición que haceros. Lo primero de todo, quiero daros las gracias por haberme cuidado durante mi larga enfermedad, que me parece ha concluido. Esta mañana, precisamente cuando cobré conciencia de que la salud había vuelto a mi cuerpo, curando, de paso, las dolencias del alma, supe que aún está presa una de aquellas desdichadas doncellas que la perversa Morgana, movida por los celos terribles de su amor hacia Accalon, confinó en las mazmorras del castillo de La Beale Regard, ese castillo que arrebató a la fuerza a una prima cercana. Dicen que el caballero violeta, que tomó sobre sí la demanda de esa pobre doncella, Alisa, está muy cerca del castillo, pero pasan los días y no llega, y corre el rumor de que Morgana ha enviado al mismo Accalon para matarle. Yo os propongo que vayamos todos a La Beale Regard y hablemos con Morgana para que libere a la doncella por las buenas y, si no lo consiente, que sea por las malas, lo cual dejo en vuestras manos.

Aún habló Ginebra un poco más, y lo explicó todo con tanta elocuencia y tan buenas razones que el rey y el senescal y los caballeros —y Lanzarote del Lago más que ninguno— se quedaron maravillados y acordaron que por la mañana harían los preparativos del viaje y alguno se lamentaba de no haber tenido esa idea por su cuenta.

De forma que antes del mediodía ya estaba todo preparado y emprendieron, reyes y caballeros y una bien aprovisionada comitiva, el camino hacia La Beale Regard, adonde llegaron al cabo de varias jornadas.

Entre tanto, Morgana es avisada de que su hermano el rey Arturo, la reina Ginebra, Lanzarote y otros caballeros se aproximan al castillo con la intención de procurar como sea la libertad de Alisa, y no sabe qué hacer, porque nunca antes había recibido una visita de tanta categoría y protocolo y se pregunta de qué manera deberá recibirles y tratarles para obtener alguna ventaja de la extraña situación. Renace por unos instantes su antiguo amor, jamás correspondido, por Lanzarote del Lago, pero se propone mantener la cabeza fría. Hay que mover muchos hilos a la vez.

De Accalon hace días que no sabe nada, pero eso en este momento no le importa a Morgana porque Accalon es muy mal consejero. Sube a la torre y manda a sus damas que le vayan trayendo las joyas y ropajes más suntuosos para estar a la altura de los visitantes. Las damas la halagan. Pero ni un solo momento se detiene la mente de Morgana en sus cavilaciones y al fin decide que el enano Vania, el nuevo ayudante y hombre de confianza de Morgana, una vez que se dio por desaparecido a Estragón, vaya a las mazmorras en busca de Alisa y la lleve luego a una habitación del castillo, porque piensa en vestirla y adornarla antes de que llegue el séquito de Arturo.

Morgana no se molesta en bajar a ver a Alisa, que queda al cuidado de las damas. Entonces, sí, ya piensa en Accalon, y tiene un horrible presentimiento. Vestida y enjoyada como está, busca en sus libros. Revuelve páginas, devora capítulos, ella misma traza en un cuaderno misteriosos dibujos. Al fin, cae rendida, la cabeza sobre uno de los volúmenes polvorientos.

Aún no ha anochecido cuando llega a las puertas del castillo el séquito del rey Arturo. El enano Vania despierta a Morgana y le pide instrucciones. Hace una noche luminosa, tibia, y Morgana le ordena que lleve a sus visitantes al patio central y que les diga que en seguida irá a recibirles.

Vuelve Vania, después de dejar al rey Arturo, a Ginebra, a Lanzarote del Lago y a todos los otros caballeros bien acomodados en sillas que se han sacado al patio, bien cuidados por pajes y damas que les ofrecen de comer y de beber y agua para refrescarse y toallas para secarse. Morgana y Vania se encaminan a la habitación donde Alisa ha sido bañada, perfumada y vestida, y aguarda, ignorante, ausente, su destino.

Morgana prepara su entrada en el patio, se hace rodear de sus fieles guardianes que sostienen grandes antorchas, y aparece de forma tan espectacular que todos enmudecen. Detrás de ella, bella y pálida y ricamente ataviada, viene Alisa, que mira a su alrededor de forma tan extraña que no tardan todos en comprender que es ella, la doncella que habla con el viento, y se sienten conmovidos y asombrados de verla vestida con tanto lujo.

Morgana da la bienvenida a sus huéspedes, les dice que ya tiene listas sus habitaciones, les anuncia una copiosa cena que se servirá a continuación en la sala de los banquetes. Finalmente, les presenta a Alisa, a quien toma de la mano como si fuera su amiga más íntima y preciada.

Y así están, todos mirando y saludando a Alisa a la luz de las antorchas, cuando se produce un gran revuelo. Se oyen ruidos de voces, de girar de ruedas, de armaduras que chocan. Empujones, gritos. Unos hombres traen una camilla con un caballero herido. De todo su cuerpo mana sangre abundante. Tiene los ojos entreabiertos. Es Accalon.

Cae Morgana junto a él, le pide la última mirada, porque ya no puede hablar.

Los hombres que le han traído hablan a la vez. Dan noticias de un duelo, dicen que jamás se ha visto tanta crueldad y saña ni tanta resistencia. Creen que el otro caballero ha sido muerto, no lo pueden jurar, porque los suyos se lo llevaron en seguida, tal como ellos hicieron con Accalon.

La bella y ausente Alisa lo mira todo desde lejos, aunque es el origen de toda esa acción. Sus ojos se cruzan con los de Accalon y al fin lo reconoce. Se hinca de rodillas y sonríe con el rostro cubierto de lágrimas. Rompe a hablar, aunque nadie la entiende. «Está hablando con el viento», dice alguien. Alisa no se mueve, no intenta tocar a Accalon.

Todos se retiran. Accalon tiene toda la apariencia de un muerto, pero Morgana prepara ungüentos y pócimas y lo vela durante toda la noche. Nadie repara en Alisa, que duerme sobre las losas del patio, las losas sobre las que se posó la camilla de Accalon.

XXV

EL RESCATE
DE LA DONCELLA QUE
HABLABA CON EL VIENTO

❧ El rescate
de la doncella que
hablaba con el viento ❧

Llegó por fin el caballero violeta a las puertas del castillo de Morgana. Muchas eran las heridas que se abrían en su cuerpo y abundante la sangre que manaba de ellas. Pero el caballero violeta, que era uno de los más valerosos de todos los tiempos, a pesar del dolor y la fatiga que asomaban a sus ojos, quiso reclamar en seguida la atención del guardián del castillo porque estaba ansioso de rescatar a su dama, más aún cuando sabía que era la última que quedaba en las mazmorras de La Beale Regard.

Sopló con todas sus fuerzas en el cuerno de los avisos, que había vuelto a su lugar, por orden de Morgana, y entre soplo y soplo daba grandes voces.

Acudieron a reunirse con él todos los que le habían estado aguardando, que ya eran muchos, porque el rumor se había extendido y multitud de curiosos de todas clases habían acampado junto a las tiendas de Bellador,

Estragón y Nimué. Se quedaron casi mudos de horror al ver las heridas del caballero y la sangre que lo cubría de la cabeza a los pies. Le dijo Bellador:

—Bienvenido seas, valeroso caballero violeta. Alisa, tu dama, bien pronto te agradecerá tus esfuerzos, aunque los merece todos, caballero, porque está llena de virtudes; yo soy su mejor amiga y he estado presa con ella hasta hace muy poco y la conozco bien y la quiero más de lo que puedes suponer. Pero no sé si debes entrar en el castillo de Morgana con tanta temeridad y con todas estas heridas abiertas que proclaman tu lucha reciente con Accalon, que seguramente ha muerto ya, porque llegó aún más herido que tú. Quizá fuera más prudente que dejaras que te las curásemos, no se te vaya a ir la vida por ellas a ti también o que Morgana, al mirarlas, se llene de ira y te mande matar.

El caballero violeta miró a Bellador con gran atención y le dijo luego:

—Tú debes de ser Bellador, hermosa doncella. A mis oídos ha llegado la admirable amistad que te une con Alisa y no me extraña nada porque pareces muy discreta, pero el momento de la prudencia ha pasado y quiero entrar en el castillo ahora mismo y no demorar ni un segundo más el rescate de mi pobre Alisa, a quien escogí porque su locura me conmovió y estoy además convencido de poderla curar.

En aquel momento, se abrió la puerta del castillo y entró el caballero violeta, seguido de Nimué, pero no de Bellador ni de Estragón, que se quedaron fuera, porque Estragón temía ser reconocido por Morgana y le pidió a

Bellador que lo acompañara en la espera. Nimué llevaba disfraz de aguadora.

Al atravesar el patio, vieron a Alisa, que estaba desvanecida en un rincón, medio oculta por unas carrozas. Se acercaron a ella y Nimué le desabrochó el corsé, para que el aire entrara en los pulmones de la doncella. Dijo el caballero:

—Voy a poner a salvo a Alisa lo primero de todo y luego volveré a vérmelas con Morgana, porque si quiere vengar la muerte de Accalon, está en su derecho.

Entonces llegó al patio el enano Vania, enviado por Morgana, y dijo al caballero:

—Deja a esta desdichada doncella al cuidado de la aguadora y ven cuanto antes a ver a Morgana, que te aguarda.

Quedó así Alisa al cuidado de Nimué, y el caballero violeta, todo ensangrentado como estaba, siguió al enano.

Mientras Accalon se debatía entre la vida y la muerte, Morgana pensaba. El rey Arturo, su hermano, estaba en su castillo, y no sólo él, sino Ginebra, la reina, y Lanzarote del Lago, a quien tanto y tan infructuosamente había amado, y otros famosos caballeros. No era el momento de la venganza sino el de mostrar magnanimidad. Morgana sabía muy bien el papel que debía representar.

Recibió al caballero violeta y encargó a Vania que trajeran al mejor curandero que se pudiera encontrar para que le restañara las heridas.

—Al caer el sol te haré entrega de tu doncella, caballero —dijo Morgana—. Me duele en lo más hondo el peligro en que se encuentra ahora Accalon, pero sé que vuestra justa fue leal y no te puedo reprochar nada. Has llegado hasta aquí y has reclamado a tu doncella, y ese asunto ha de darse por concluido. Tengo además un invitado de honor, el propio rey Arturo, mi hermano, y sé que asistirá de grado al fin y culminación de tus empeños.

Todo se hizo como Morgana había dispuesto. No quiso que el acto fuera muy pomposo a causa de la preocupación que la embargaba. Morgana vestía de rojo pero no llevaba joya alguna. Los reyes tampoco se pusieron sus mejores galas. La más ricamente ataviada era Alisa, que resplandecía en la penumbra del atardecer invernal. El caballero violeta la amó en cuanto posó los ojos sobre ella y se lamentó de haberse enredado en tantas batallas, retrasando de ese modo el rescate, porque verdaderamente no había habido ocasión de pelea que no hubiese aprovechado.

Alisa, aturdida por los últimos sucesos, por todo aquel ir y venir y ser bañada y vestida y perfumada y enjoyada, y, sobre todo, por haber vuelto a cruzar su mirada con la de Accalon, agonizante, tenía la expresión más perdida que nunca. Sin embargo, cuando el caballero violeta cogió su mano, y, sin decir nada, la llevó hasta la puerta del castillo y atravesó, sin soltarle la mano, que apretaba muy suavemente, el puente levadizo, sintió una corriente muy cálida dentro de sí y se dijo que quizá Accalon había abierto en su corazón un agujero para que el amor del caballero violeta penetrara en él.

En el barullo del patio, Morgana se fijó en la aguadora y luego hizo que la trajeran a su presencia.

—Muchacha —le dijo—, dame un poco de agua, que me gusta probar las aguas más frescas y dicen que ésta que traes es fresquísima.

Nimué, ruborizándose un poco, dio a Morgana un cuenco de agua.

—Seguro que eres buena conversadora —dijo Morgana, mirándola atentamente— de manera que, siempre que pases por los alrededores de La Beale Regard, ven a verme, porque me gusta hablar con todo el que tenga cosas que decir.

—Así lo haré, señora —repuso Nimué.

—Eres joven y hermosa y voy a darte un consejo —dijo Morgana, devolviéndole el cuenco—. No hagas caso del amor de los hombres.

Morgana, más tarde, se despidió del rey y de la reina, de Lanzarote del Lago y de todos los demás caballeros y se retiró a sus aposentos. El séquito del rey Arturo abandonó el castillo de La Beale Regard antes de que la noche se cerrara.

XXVI

REGRESO A CAMELOT

❦ Regreso a Camelot ❧

«¡Ah!, ¡que me haya tocado a mí la mayor de las desdichas, que yo sea el caballero más desafortunado y doliente! —hablaba Lanzarote del Lago para sí, completamente ajeno a cuanto sucedía a su alrededor—. ¡Amar a la mujer del rey! ¡Sí, amar a Ginebra y ser amado por ella, pero no con todas sus fuerzas, no con las fuerzas suficientes como para dejarlo todo por mí! ¡Que yo sea admirado y envidiado por otros caballeros, qué locura, qué poco conocimiento, qué engaño! Tengo que conseguir licencia de la reina para marcharme de la corte, porque mi corazón se desangra. Distante y altiva, me parece más hermosa que nunca, pero si me envía una mirada cálida, no lo resisto. ¿Cuántos días más podré vivir de esta manera?, ¿acaso podré sobrevivir lejos de ella? A veces, incluso me esfuerzo por mirar a las otras mujeres, porque no soy tan tonto como para creer que no haya en el mundo otras mujeres hermosas, y es verdad que admiro la belleza dondequiera que esté, pero en seguida me siento triste y alicaído, porque en Ginebra la belleza está mezclada con otras cualidades que no sé describir y que son las que la iluminan y la hacen sobresalir. ¡Ay!, Ginebra, luz de mis ojos, condena de mi corazón...»

Y mientras así hablaba Lanzarote del Lago, sin mover apenas los labios, aunque dejaba escapar de su boca de vez en cuando tremendos suspiros, el séquito del rey Arturo se desplazaba hacia Camelot. Aquí y allí se comentaba el feliz final de la prisión de las siete doncellas desdichadas, y se contaban y se comparaban sus historias. Algunos sentían predilección por el caballero blanco, otros por el verde. A muchos les conmovía la historia del caballero bermejo, otros se entretenían sobremanera rememorando las aventuras del caballero dorado, y algunos se complacían mucho con las del caballero de plata. Todos lamentaban la suerte del caballero irisado y se proponían asistir a sus exequias en cuanto su cuerpo fuera hallado y se celebraran misas y funerales en su honra. Todos se impresionaban mucho cuando se relataba la entrada del caballero violeta en el castillo de Morgana. Algunos se sonreían ante el sueño infinito de Naromí, otros se conmovían ante la extraña imposibilidad de Alicantina de verse por fuera, la alegría e inocencia de Bess complacía a todos, el desmesurado orgullo de Delia a unos les parecía bien y a otros mal. Findia, la doncella desmemoriada, les daba que pensar, la historia de Bellador les cautivaba a todos, Alisa les impresionaba. Las historias del guardián Seleno y del enano Estragón eran de las más populares y se relataban muchas veces. Ambos eran tenidos por héroes y ya circulaban rumores sobre los orígenes principescos de Estragón.

No siempre se contaban las aventuras del mismo modo, no siempre los argumentos correspondían a los mismos protagonistas, había errores, confusiones, mezclas, un nombre era sustituido por otro, una aventura por otra, pero ¡qué más daba! Lo importante era poder contar, seguir los pasos de esas vidas arriesgadas, superar obstáculos, vencer el poder de las ninfas y las hadas malignas. Unos contaban y otros escuchaban, unos pedían y otros se hacían de rogar, se formaban corros y se lanzaban al aire exclamaciones de asombro, de admiración, de miedo, se lloraba, se reía, se aplaudía. ¡Qué vidas aquéllas, qué emociones, qué riesgos! Alrededor del fuego, las aventuras de los siete caballeros y el rescate de las maravillosas doncellas resplandecían, seducían, y todo parecía mejor de lo que había sido, porque al contar se elige, al contar se destaca lo heroico, lo hermoso, lo que nos conmueve.

También se contaban las aventuras de Lanzarote del Lago, aunque con más cuidado, en voz más baja. Nadie quería que estas historias llegaran a sus oídos ni a los del rey ni a los de la reina. ¡Qué amor terrible era ése, que a todos dañaba y a nadie satisfacía! Y, aun cuando se compadecían de todos, quien más les impresionaba era Lanzarote del Lago que, con enorme discreción, se lamentaba a solas y muchas noches se retiraba adonde nadie le pudiera ver para dar rienda suelta a su desesperación.

De Morgana se hablaba con horror, en tono de condena. Varias veces había intentado dar muerte a su hermano el rey Arturo, y a su propio esposo, el rey Uriens, también había intentado matarlo. Y todos confiaban en que tarde o temprano le fuera arrebatado el castillo de La Beale Regard, que no era suyo sino de una prima cercana, y algunos decían que el conde del Paso, tío de esta prima y gran enemigo de Morgana, había salido ya de su castillo con el objeto de prender fuego a La Beale Regard y borrar así la memoria de los funestos hechos acaecidos en él.

Nimué se había unido a la comitiva del rey Arturo y fue acercándose a Ginebra con la idea de poder conversar con ella. Deseaba ganarse la confianza de la reina y conocer sus más íntimos sentimientos, saber algo más sobre el enigma de amor.

Poco tiempo le llevó a Ginebra reparar en la joven y bella aguadora, y le preguntó cuál era su nombre.

—Nimué —dijo la aguadora, que ya no tenía ninguna razón para ocultarlo, y del mismo modo se lo hubiera dicho antes a Morgana si se lo hubiese preguntado.

Hablaron de cosas triviales, del largo trayecto, de la sed, del sol y de la lluvia. Hablaron también de todas aquellas aventuras que tan rápidamente se estaban convirtiendo en leyendas. Pero Ginebra, sobre todo, sentía una gran curiosidad por la vida ambulante de la aguadora y la escuchaba Nimué llena de admiración. En los breves descansos diurnos de la comitiva y en el más largo descanso de la noche, Nimué acudía al lado de Ginebra y se entretenían conversando. Ginebra nunca se había encontrado con una interlocutora tan sagaz y, como se sentía tan abrumada por sus emociones, decidió abrirle su corazón.

—Mi amor por el rey —le dijo un anochecer de nieblas— es profundísimo. Desde pequeña he soñado con él. Ha sido mi héroe y el de mi familia, y cuando mi padre, el rey Leodegrance de Camelerd, me comunicó, entusiasmado, que el rey Arturo le había pedido mi mano, estuve a punto de desmayarme, porque ni en mis sueños más osados me hubiera atrevido yo a soñar con ser la esposa del rey Arturo. Los primeros años de mi matrimonio fueron de una felicidad tal que no soy capaz de describirla. La inteligencia y capacidad de gobierno del rey están fuera de toda duda, pero nunca hubiera imaginado yo que debajo de eso habitara un corazón tan sensible y delicado. Fue una fatalidad que apareciese Lanzarote del Lago en el momento en que el rey se mostraba un poco distante conmigo, ocupado en campañas pacificadoras. Debo confesar que el ardor y la vehemencia de Lanzarote me deslumbraron. Pero estos últimos años han sido muy dolorosos —Ginebra suspiró—. El rey está cansado, no tiene la misma ilusión que lo llevó a fundar la orden de los caballeros de la Tabla Redonda, no me manda llamar a su lado en busca de consuelo o simple compañía. Se ha hecho más y más solitario. He tenido ocasión, entre tanto, de conocer más a Lanzarote del Lago. Su valor y su apostura son del dominio común, pero yo me he adentrado en su alma. Ha nacido para ser amado y devolver amor. ¡En mal momento se cruzaron nuestras vidas! Yo no puedo retroceder, he de seguir al lado del rey, porque, aunque ya no me lo diga con frecuencia, sé que le soy necesaria y, si lo dejara, se podría derrumbar. Está enfermo de melancolía y, aunque mi compañía no le puede curar, aunque parezca que mi presencia no le sirve de nada, mi ausencia, mi abandono, le matarían. Pero tampoco puedo responder enteramente a las demandas de Lanzarote. Hay damas frívolas y superficiales que mantienen varios amores a la vez, y te aseguro que las envidio, pero creo que es porque ellas no se han topado con un caballero como el mío, un caballero de la cabeza a los pies, con las manos dispuestas a la lucha y a la acción, el espíritu lleno de nobleza y valor y el corazón rebosante. Este es mi drama, querer amarlos a los dos y saber, en el fondo, que lo que le doy a uno se lo quito al otro.

—Pero tu verdadero amor es Lanzarote del Lago —aventuró Nimué.

Ginebra suspiró.

—Eso pienso a veces —dijo—. Sin embargo, no puedo dejar al rey. Con el rey Arturo aprendí lo que es el amor. Si alguien, al cabo de los años, llega a decir que perdí la cabeza por Lanzarote del Lago porque mi vida estaba vacía o porque el rey me tenía descuidada, no sabrá hasta qué punto estará alejado de la verdad.

—¿No será que no dejas al rey porque temes su ira? —preguntó Nimué.

—No sé qué es exactamente lo que temo —repuso Ginebra—. Su ira, su desesperación, la separación misma. A veces imagino que lo dejo y que me voy con Lanzarote del Lago a un país lejano. ¿Cuánto duraría la pasión? Quizá al cabo de los años, Lanzarote se pareciera al rey como es ahora mismo, quizá se volviera distante y melancólico. A lo mejor me falta fe. A lo mejor es que ya he vivido lo que tenía que vivir.

La conclusión a la que iba llegando Nimué es que el amor era demasiado imprevisible y complejo. El amor era, sobre todo, mudable, y no se podía asegurar nunca.

Cuando faltaba sólo una jornada para llegar a Camelot, Nimué se despidió de la reina Ginebra y dejó la comitiva del rey Arturo para volver al refugio secreto donde vivía con Merlín, al fin y al cabo, un hombre, y, por tanto, de corazón mudable.

—Tengo que idear algo para retenerlo —se decía Nimué—, algo que lo haga permanecer a mi lado pero nunca demasiado cerca. Mi mayor ambición es aprender toda su sabiduría, pero del amor no quiero saber nada, porque las enseñanzas del amor son imposibles.

Era muy joven y se consideraba dueña de inagotables capacidades y recursos que no quería de ningún modo desaprovechar, sino, por el contrario, desarrollar y transitar con ellos por nuevos caminos.

XXVII

LA ROSA DE PLATA

❦ La rosa de plata ❧

El rey Arturo recibió muchas felicitaciones por haber sido el artífice de la liberación de las siete doncellas desdichadas que Morgana el hada había tenido presas en las mazmorras de La Beale Regard. Y en los castillos de los que habían salido los siete caballeros que liberaron a las doncellas se llevaron a cabo celebraciones y fiestas, incluido el castillo del caballero irisado, porque el honor está por encima de la muerte.

Un atardecer de otoño, paseando por el jardín en sombras, el rey Arturo cavilaba sobre la forma de que se quedara grabada la victoria en la memoria de las gentes del reino, y, mientras le daba vueltas al asunto, vio a Ginebra asomada a la ventana. Llevaba un manto de plata y tenía la mirada perdida.

—Parece una rosa de plata —susurró el rey.

»¡Cuántas cosas podría decirte! —se dijo luego para sí—. Sin embargo, debo callar, porque las palabras ahora sólo servirían para separarnos. Debemos guardar el recuerdo de lo sucedido cada uno dentro de su propio corazón, como si uno no entendiera al otro. Sí, no hay más remedio que callar, renunciar a esas conversaciones que, empezando por ser un desahogo, acabarían causándonos dolor y mostrando al fin todo nuestro egoísmo. Pero al renunciar a hablar me sitúo en el mundo de las sombras, no las sombras vivas de este jardín, sino sombras invariables y persistentes que no dependen de la luz que nos viene del cielo. Durante el día, del sol y, durante la noche, de la luna y las estrellas. No, en este lugar mío no hay luz natural. Aquí no crecen las rosas de verdad. Vivo bajo la fría luz de una luna perpetua, una luz de plata. Pero, aun así, no quiero perderte, Ginebra. No soportaría que te alejaras más.»

Y, complacido con la imagen de la rosa de plata, el rey Arturo decidió crear una orden especial, la Orden de los Caballeros de la Rosa de Plata, que recibirían los seis caballeros que habían rescatado a las doncellas y el padre o un hermano del caballero irisado, que ya había recibido sepultura con todos los honores.

—Así serán recordados —dijo el rey Arturo—, como los caballeros de la Rosa de Plata, porque ya ha desaparecido la desdicha de las vidas de las doncellas y en las páginas de la historia ha de consignarse lo bueno.

Y luego se celebró una gran ceremonia en la que los caballeros recibieron la orden de la Rosa de Plata, cuyo emblema se grabó en medallas de plata con reflejos de oro. Los caballeros se comprometieron, llenos de orgullo, a llevar la medalla sobre el pecho en todas las fiestas y conmemoraciones.

Todo esto mantuvo distraído al rey Arturo durante unos días, pero su melancolía iba en aumento. Pasaba mucho tiempo solo, rememorando gestas del pasado. Incluso escribía. Empezaba describiendo el paisaje de una batalla y su pluma se encontraba de pronto enredada en la evocación del canto de un pájaro. Lo veía allí, posado en la rama, ligero, tembloroso, y esa fragilidad le conmovía de manera profundísima, como si se refiriera a sí mismo.

Cada vez que veía a Ginebra, se quedaba mirándola, como si la amenaza de su desaparición se cerniera todo el tiempo sobre él en su mundo de sombras. Siempre había algo en ella que le sorprendía. Sobre todo, cuando la veía de lejos, como cuando la vio un atardecer asomada a la ventana y le había parecido una rosa de plata.

Cuando pensaba en Lanzarote del Lago y en los otros caballeros de la Tabla Redonda no los encuadraba en el presente, sino que retrocedía a los tiempos gloriosos, los años dorados de la fama, cuando sus gestas eran comentadas en el mundo entero y dieron origen a las más intrincadas leyendas, que incluso circulaban ya, escritas, aderezadas de mil modos.

Echaba de menos a Merlín. Unos decían que Nimué lo tenía preso en una gruta secreta, más allá de las Marcas del Sur, y otros que vivía en una cárcel de aire. Muchas veces el rey Arturo hablaba a solas, en susurros, dirigiéndose a Merlín como si lo tuviera delante y sólo fuera visible para él. A Merlín le comunicó su decisión de fundar la orden de la Rosa de Plata. Y vio cómo Merlín asentía.

—No sé si sabes que Lanzarote —le dijo una vez el rey Arturo a Merlín— se ha hecho ermitaño, pero sus enamoradas, la pastora Galinda y la novicia Marcolina, no le han abandonado sino que se han instalado muy cerca de él y están al tanto de sus necesidades y hasta parece que de vez en cuando se entretienen los tres en amenos coloquios. Sospecho, Merlín, que Ginebra va también algunas veces a visitar a Lanzarote, porque se ausenta del castillo sin darme ninguna excusa, incapaz de mentir. Y yo tampoco le pregunto nada porque sé que ahora su amistad con Lanzarote es casi mística, ya que él se ha convertido en una especie de santo. ¿Qué mal puede haber en esas conversaciones? Todo lo contrario, porque Ginebra regresa más animosa y serena, más solícita con todos, como si se hubiera contagiado de la paz que dicen irradia Lanzarote.

—A lo mejor yo soy tu cárcel de aire, Merlín —se le ocurrió una vez al rey Arturo—, porque no es posible que te vea con tanta claridad.

Eso sucedía algunas veces; otras, el rey Arturo se pasaba largas temporadas sin ver a Merlín.

—Hemos vencido a Morgana —decía el rey—, todo ha concluido.

¿Todo ha concluido? ¿Cuándo concluye una historia? Uno puede cambiar el lugar y el tiempo de una historia, puede cambiar los personajes, puede dar a la historia un nombre nuevo que borre el anterior. Así, los laboriosos rescates de las siete doncellas desdichadas serían desde ahora recordados como las hazañas de los caballeros de la Rosa de Plata.

Un rey puede hacer eso, aunque algo le diga por dentro que, mientras él declara que todo ha concluido, nada ha concluido, que, aunque nos hagamos la ilusión de ordenarla, de encauzarla, de darle una y otra forma, recortando un pedazo aquí, añadiéndolo allá, manejándola, aparentemente, a nuestro antojo, la vida no se puede manejar ni ordenar ni encauzar, porque cuando unas cosas terminan, empiezan otras.

❦ FIN ❧

❦ AGRADECIMIENTOS ❧

A los hermosos relatos de los hermanos Grimm, que alimentaron mi infancia, es decir, mi vida.

A los maravillosos textos de Sir Thomas Malory y de Chrétien de Troyes, porque sin ellos no habría podido tejer mis invenciones. Estas y otras leyendas han sido el telón de fondo sobre el que se me han ido acercando los personajes que, para mi propio asombro, han invadido estas páginas. Las agradezco todas.

A Ana María Matute y a Cristina Andreu, que me han devuelto la fe en la existencia de las hadas.

A mis primeros y atentos lectores que, como de costumbre, me han hecho muy buenas sugerencias y me han dado los ánimos suficientes para atreverme a dejar esta historia en manos del desconocido lector.

Y, por encima de todo a Ana María Villanueva Guerendiain, mi madre, que una vez se compró en un mercadillo callejero un anillo con una rosa de plata.